Arriver à Bordeaux

En train

➔DEPUIS LA GARE ST-JEAN

Le meilleur moyen de rejoindre le centre-ville est de prendre le **tram C**, qui dessert les quartiers St-Michel et St-Pierre, la place des Quinconces puis les Chartrons.

Horaires de passage à l'arrêt 5h07-0h12 (jeu.-sam. 1h12) - tarifs 1,40 €, forfait découverte 1 j. 4,10 € - bornes d'achat dans toutes les stations - infos et horaires sur www.infotbc.com.

Astuce – Si vous arrivez par le TGV de Paris, achetez votre ticket au wagon restaurant, vous éviterez ainsi les files d'attente fréquentes aux deux bornes de la station de tram.

PARCS-RELAIS

Ils permettent, à moindre coût, de vous garer à proximité d'une station de tram et de rejoindre facilement le centre-ville.

Tickarte : 3 €. Après l'achat de la Tickarte, vous avez 1h de trajets illimités, puis un retour vers le parc-relais dans la journée.

14 parcs-relais :

Ligne A : La Gardette-Bassens-Carbon-Blanc, Les Lauriers, Buttinière, Galin, Stalingrad, Arlac, Quatre Chemins.

Ligne B : Bougnard, Unitec, Arts et Métiers, Brandenbourg.

Ligne C : Les Aubiers, Ravezies-Le Bouscat, Carle-Vernet.

En avion

➔DEPUIS BORDEAUX-MÉRIGNAC

À 15km à l'ouest du centre-ville. ♿ *p. 4.*

En bus – La navette Jet'Bus (hall B, niveau Arrivées) relie l'aéroport à la gare de Bordeaux *via* le centre-ville, toutes les 45mn. Trajet de 30-45mn. Horaires depuis l'aéroport : 7h45-22h45 (sam.-dim. à partir de 8h30) ; depuis la gare de Bordeaux : 6h45-21h45 (sam.-dim. à partir de 7h30). Arrêts : Barrière Judaïque, Place Gambetta, Office de tourisme (allées de Tourny), Gare. 7 € aller, 12 € A/R.

En taxi – Devant l'aérogare, côté hall A. Comptez 30 €.

En voiture – Les comptoirs de location de voitures se trouvent dans le hall A.

Par la route

Bordeaux est accessible par la **rocade**, qui dessert plusieurs points d'entrée dans l'agglomération. Au nord (côté pont d'Aquitaine ; arrivée par l'A10 ou l'A89), ce périphérique permet d'accéder, *via* le lac et les bassins à flot, aux quais qui traversent la ville en longeant la

1

2

Destination Bordeaux

3

Préparez votre voyage

Venir en voiture

Les grands axes
A 10 (Paris-Bordeaux),
A 62 (Toulouse-Bordeaux),
A 63 (Bayonne-Bordeaux),
A 89 (Lyon-Bordeaux).

Infos autoroutières –
☏ 0 892 681 077 - www.autoroutes.fr -
fréquence FM 107.7.

Les cartes Michelin
Carte **Départements 335** (Gironde,
Landes) avec plan de Bordeaux.
Carte **Régions 524** (Aquitaine) avec
plan de Bordeaux.
En ligne : calcul d'itinéraires sur **www.
ViaMichelin.fr**

Venir en train

Grandes lignes
Au départ de Paris, une vingtaine de
TGV quotidiens (3h).

Train Corail Téoz entre Bordeaux et
Nice, Marseille, Toulon.
Train Corail de nuit **Lunéa** entre
Bordeaux et Nice.
Informations et réservations –
☏ 3635 (0,34 €/mn) -
www.voyages-sncf.com

Trains express régionaux
Depuis Bordeaux, vous pouvez rejoindre
(ou arriver de) la pointe de Grave (2h) et
Arcachon (1h).
Informations et réservations –
☏ 3635 (0,34 €/mn) -
www.ter-sncf.com/aquitaine.

Venir en avion

**Aéroport international Bordeaux-
Mérignac** – 33700 Mérignac -
☏ 05 56 34 50 50 - www.bordeaux.
aeroport.fr
♿ *Accès au centre-ville depuis l'aéroport*
p. 1.

DISTANCES	BORDEAUX	LYON	MARSEILLE	PARIS	RENNES	STRASBOURG	TOULOUSE
ARCACHON	65	627	699	632	510	1031	296
BORDEAUX	-	567	647	571	450	974	247
LYON	-	-	459	465	596	495	537
MARSEILLE	-	-	-	777	908	808	406
PARIS	-	-	-	-	131	489	680
RENNES					-	834	686
STRASBOURG	-	-	-	-	-	-	977

L'innovation au service de l'environnement.

Que ce soit à travers le développement de pneus à basse consommation de carburant ou à travers notre engagement en matière de développement durable, le respect de l'environnement est une préoccupation quotidienne que nous prenons en compte dans chacune de nos actions.
Car œuvrer pour un meilleur environnement, c'est aussi une meilleure façon d'avancer.

www.michelin.com

Compagnie régulière
Air France – ✆ 3654 (0,34 €/mn, achat de billets) ou 0 820 320 820 (0,12 €/mn, infos réservation) - www.airfrance.fr. Vols depuis Brest, Lille, Lyon, Marseille, Nantes, Nice, Paris, Rennes et Strasbourg.

Compagnies low-cost
CCM-Airlines – ✆ 3654 (0,34 €/mn) - www.aircorsica.com. Vols depuis Ajaccio, Bastia et Calvi (avr.-oct.).

Easyjet – www.easyjet.com. Vols depuis Lyon, Genève et Bâle/Mulhouse.

Compagnie Baboo – www.flybaboo.com - ✆ 0800 445 445. Vols depuis Genève.

Climat

Météo
Tapez **3250** suivi de :
2 : météo des villes.
3 : météo plages et mer.
Accès direct aux prévisions du département – ✆ 0 892 680 2 suivi de 33 (0,34 €/mn) - www.meteo.fr.

Saisons
Printemps : douceur, pluies fréquentes, gare aux changements rapides de météo.
Été : chaleur, ciel dégagé, orages fréquents mais vite dissipés, imprévisibilité.
Automne : très doux et ensoleillé.
Hiver : douceur, imprévisibilité, brume.

Pour en savoir plus

Avant de partir
Maison de l'Aquitaine – 21 r. des Pyramides - 75001 Paris - ✆ 01 55 35 31 42 - www.maisonsregionales.com

Maison du tourisme de la Gironde – 21 cours de l'Intendance - 33000 Bordeaux - ✆ 05 56 52 61 40 - www.tourisme-gironde.fr
Comité régional du tourisme d'Aquitaine – Cité Mondiale - 23 parvis des Chartrons - 33000 Bordeaux - ✆ 05 56 01 70 00 - www.tourisme-aquitaine.fr

Sur place
Office du tourisme de Bordeaux – 12 cours du 30-Juillet - 33000 Bordeaux - ✆ 05 56 00 66 00 - www.bordeaux-tourisme.com - juil.-août : 9h-19h30 ; mai-juin et sept.-oct. : 9h-19h ; nov.-avr. : 9h-18h30 ; dim. et j. fériés tte l'année : 9h30-18h30 - fermé 1er janv. et 25 déc.

PAS DE PANIQUE !
Appel d'urgence européen :
✆ 112
Urgences médicales :
✆ 15 (SAMU)
Police : ✆ 17
Pompiers : ✆ 18
SOS Médecins (24h/24) :
✆ 0820 33 24 24 (0,12 €/mn)
Pharmacies de garde : ✆ 05 56 01 02 03
Centre anti-poison : ✆ 05 56 96 40 80
Objet trouvés : ✆ 05 56 44 20 18
Perte cartes bancaires : ✆ 0892 705 705 (0,34 €/mn), qui vous orientera selon votre carte.

Votre séjour de A à Z

Baignade

Par beau temps ou forte chaleur, vous aurez sans doute envie de vous rafraîchir dans l'Atlantique, tout proche. Vous ne serez pas le seul ! Un conseil : évitez les heures de pointe.

Les **plages** du Cap-Ferret sont à 70 km au sud-ouest de Bordeaux, celles de Lacanau à 60 km au nord-ouest. Une piste cyclable (59 km), accessible depuis Bordeaux-Lac, permet de rejoindre Lacanau.

Attention aux vagues déferlantes du fait de leur puissance et aux courants de **baïnes** (cuvettes séparées de la mer qui, avec la marée, se remplissent d'eau et créent, en se vidant, un fort courant vers le large) qui entraînent le nageur loin des côtes.

La **propreté** des plages en ligne : http://baignades.sante.gouv.fr

Vous préférez vous baigner dans les **lacs** et **étangs** ? Direction Hourtin, Carcans ou Lacanau. Mais attention, la baignade n'est pas autorisée partout ; renseignez-vous au préalable dans les offices de tourisme. Arcachon, à 50 km au sud-ouest de Bordeaux, offre l'avantage de cumuler les plaisirs de l'eau (plages du **bassin**) à ceux de la ville (casino, restaurants, boutiques…). Le long de la presqu'île du Cap-Ferret, vous pourrez essayer dans la même journée les plages océanes puis celles du bassin d'Arcachon, distantes d'1,5 km.

Centres naturistes – Grayan-et-l'Hôpital (au sud de Soulac), Vendays-Montalivet (au sud de Soulac), Le Porge (au sud de Lacanau).

Cuisine

Quelques stages de cuisine :
L'Atelier des chefs – 25 r. Judaïque - 33000 Bordeaux - ✆ 05 56 00 72 70 - www.atelierdeschefs.com
Quai des saveurs – 16 quai des Chartrons - 33000 Bordeaux - ✆ 05 56 52 94 22 - www.quai-des-saveurs.com
Le Chapon fin – 5 r. Montesquieu - Bordeaux - ✆ 05 56 90 91 92 ou 05 56 79 10 10 - www.chapon-fin.com

Enfants

Cap Sciences, animations du Bordeaux monumental (chasse au trésor et jeux de pistes) ainsi que celles du musée d'Aquitaine, balades en calèche, Planète Bordeaux à Beychac, miroir d'eau au bord du fleuve… Pour les plus jeunes, Bordeaux ne manque ni de sites ni de loisirs. En outre, elle est labellisée **Famille Plus** : tarifs préférentiels, animations garanties pour tous les âges, effort des professionnels envers les plus jeunes… Retrouvez les prestataires concernés auprès de l'office de tourisme et sur Internet : www.bordeaux-tourisme.com

Côté plage, Carcans-Maubuisson est certifié **Station Kid** : ce label garantit une attention particulière portée à la sécurité, aux animations pour enfants, à la sensibilisation à l'environnement, etc. www.stationskid.com

7

Football

Pas de séjour complet à Bordeaux sans assister à un match des Girondins ! 👍 *p. 119.*

Forfaits touristiques

Forfait Bordeaux Découverte – L'office de tourisme propose, sur 3 jours, deux nuits en hôtel 2 à 5 étoiles, une visite de la ville, une visite des vignobles avec dégustation, un accès gratuit aux monuments et musées ainsi qu'aux transports urbains. Une dégustation au Bar à vin est incluse dans ce forfait.

Forfait 3 sites Unesco en 2 jours – Il s'agit de Bordeaux, Blaye et St-Émilion. Découverte de l'estuaire en bateau ; visite de Bordeaux et de St-Émilion ainsi que de leurs vignobles. Renseignements : ☎ 05 56 00 66 00.

Golf

C'est à Pau que le golf apparut en France en 1856. Depuis cette date, il est devenu un sport roi en Aquitaine.

Toute l'information sur les greens d'Aquitaine est dans la brochure *Golf* du Comité régional du tourisme. www.golf-bordeaux-gironde.fr, www.ligolfaquitaine.org.

Golf de Pessac – R. de la Princesse - 33600 Pessac - ☎ 05 57 26 03 33 - www.bluegreen.com/pessac. À quelques minutes de l'aéroport, ce golf est agréable car bordé de pins et de plans d'eau. Parcours de 27 trous et 9 trous compact. Club-house et restaurant.

Golf International d'Arcachon – 35 bd d'Arcachon - 33260 La Teste-de-Buch - ☎ 05 56 54 44 00 - www.golfarcachon.org. Parcours de 18 trous à proximité du bassin.

Golf Hôtel de Lacanau – Domaine de l'Ardilouse - ☎ 05 56 03 92 92 - www.golf-hotel-lacanau.fr. 18 trous, par 72, slope 137, *back tees* : voici quelques-unes des caractéristiques de ce golf dans une vaste pinède.

Locations de voitures

Ada – Gare St-Jean - ☎ 05 56 31 21 11 - www.ada.fr. Autres agences : Barrière de Toulouse et La Bastide.

Avis – Gare St-Jean - ☎ 0821 230 760 - www.avis.fr. Autre agence : aéroport Bordeaux-Mérignac.

Budget – Aéroport Bordeaux-Mérignac - ☎ 0825 00 35 64 - www.budget.fr.

Europcar – Gare St-Jean - ☎ 0825 358 358 - www.europcar.fr. Autre agence : aéroport Bordeaux-Mérignac.

Hertz – Gare St-Jean - ☎ 05 57 59 05 95 - www.hertz.fr. Autre agence : aéroport Bordeaux-Mérignac.

Marchés

Marchés alimentaires

Lundi-samedi : place de la Ferme-de-Richemont ;
mardi-dimanche : place des Capucins ;
samedi : place Canteloup ;
dimanche : cours Victor-Hugo ;
dimanche : quai des Chartrons.

Marchés bio

Jeudi : quai des Chartrons ;
vendredi : place Lucien-Victor-Meunier ;
samedi : place St-Amand (quartier Caudéran).

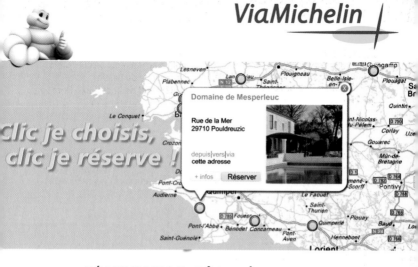

ViaMichelin

Clic je choisis,
clic je réserve !

Domaine de Mesperleuc

Rue de la Mer
29710 Pouldreuzic

depuis|vers|via
cette adresse

+ infos   **Réserver**

RÉSERVATION HÔTELIÈRE SUR

www.ViaMichelin.com

Préparez votre itinéraire sur le site ViaMichelin pour optimiser tous vos déplacements. Vous pouvez comparer différents parcours, sélectionner vos étapes gourmandes, découvrir les sites à ne pas manquer...

Et pour plus de confort, réservez en ligne votre hôtel en fonction de vos préférences (parking, restaurant...) et des disponibilités en temps réel auprès de 100 000 hôtels dans le monde (indépendants ou chaînes hôtelières).

- **Pas de frais de réservation**
- **Pas de frais d'annulation**
- **Les meilleurs prix du marché**
- **La possibilité de sélectionner et de filtrer les hôtels du guide MICHELIN**

MICHELIN
Une meilleure façon d'avancer

Musées

L'accès aux collections permanentes dans tous les musées municipaux de Bordeaux est **gratuit**.
Forfait « Bordeaux Découverte » – ♿ *p. 8.*

Poste

Bureau central – 37 r. du Château-d'Eau - ℘ 36 31 - www.laposte.fr - lun.-vend. 9h30-18h, sam. 9h30-12h.

Presse

Quotidiens – *Sud-Ouest* (www.sudouest.com), 3e quotidien régional après *Ouest-France* et *Le Parisien*. *Bordeaux 7* (www.bordeaux7.com), quotidien gratuit disponible à l'office de tourisme.
Mensuels – *Spirit* (www.spiritonline.fr) : musique, théâtre, expositions, festivals…
Bimensuels – *Clubs et Concerts* (www.clubsetconcerts.com) et *Happen* (www.happen.fr), gratuits, axés sur la musique : chroniques, concerts… À récupérer dans les bureaux de tabac, magasins, cafés…
Trimestriel – *Le Festin* (www.lefestin.net), très beau magazine consacré au patrimoine aquitain.
Bordeaux Culture, magazine d'information gratuit édité par la Ville de Bordeaux et distribué au kiosque Bordeaux Culture *(allées de Tourny)*.

Promenades en bateau

Départ quai Richelieu (rive gauche). Visite commentée (1h30) du port et des façades des quais : 1er dim. du mois à

15h30 (tous les dim. en sept.).
℘ 05 56 49 36 88 - 15 € (4-12 ans 8 €).

Rugby

En dehors des grands matchs nationaux, listés dans les pages sport du quotidien *Sud-Ouest* et sur le site de l'Union Bordeaux-Bègles (www.rugby33.com), vous pourrez vous procurer le calendrier des matchs d'amateurs auprès de la **Fédération française de rugby** : www.ffr.fr.

Stationnement

Tous les premiers dimanches du mois, le centre-ville est interdit aux voitures. 27 parkings totalisant quelque 15 000 places permettent de se garer en ville. Parmi les plus grands : parking couvert de Tourny (pl. de Tourny), parking couvert Mériadeck (r. Claude-Bonnier), parking couvert de la Cité mondiale (20 quai des Chartrons), parking couvert de la place de la Bourse, parking couvert du Chapeau Rouge (cours du Chapeau-Rouge) et parking couvert des Salinières (quai des Salinières).
♿ *Parcs-Relais p. 1.*

Surf

Avec leurs impressionnants rouleaux, les plages girondines, à 1h de Bordeaux, constituent un paradis pour les adeptes du surf. Les **meilleurs spots** se trouvent à Lacanau-Océan, Le Porge-Océan et Arcachon (Arbousiers).
Pour obtenir les adresses des clubs et écoles labellisés, contactez la Fédération.

Fédération française de surf – 30 imp. de la Digue - plage Nord - BP 28 - 40150 Hossegor - ℘ 05 58 43 55 88 - www.surfingfrance.com

Taxi

Principales bornes – Fare St-Jean, office de tourisme (rue Esprit-des-Lois), place Gambetta, hôtel de ville.
Allo Bordeaux Taxi – ℘ 05 56 31 61 07.
Taxis 33 – ℘ 05 56 74 95 06 - www.taxi33.fr
Allo Taxi 7/7 – ℘ 05 57 77 75 55 - www.allotaxi7.net
Taxi Télé – ℘ 05 56 96 00 34 - www.bordeaux-taxi.com

Thalassothérapie

Cures « circulatoire », « nutrition », « sérénité », « tonique », soins en formules ou à la carte, le centre de thalassothérapie Thalazur, à Arcachon, fait partie des nombreuses infrastructures que compte la côte Aquitaine, réputée en la matière.
Thalazur – Av. du Parc - Arcachon - ℘ 05 57 72 06 66 - http://arcachon.thalazur.fr

Tourisme vinicole

Forfait « Bordeaux Découverte » – ♨ p. 8.
Circuits organisés – L'office de tourisme de Bordeaux propose différentes formules thématiques (réservation obligatoire) pour découvrir les vins de la région. Demandez la brochure *Bordeaux porte du vignoble*.

Itinéraires dans les vignobles – Le CIVB (Conseil interprofessionnel du vin de Bordeaux) a mis en place plusieurs Routes du vin. Brochures et cartes disponibles auprès de la Maison du vin - ♨ p. 41.
Stages et cours d'œnologie et/ou de dégustation – ♨ p. 41.
Vinothérapie – ♨ p. 41.
Visite des caves – Les caves sont généralement ouvertes à la visite et proposent quelquefois des dégustations (bien entendu à pratiquer avec modération). Vous trouverez leurs coordonnées dans les offices de tourisme et les Maisons du vin.
Les syndicats viticoles éditent des brochures de présentation de leurs crus, parfois avec un tracé de Routes des vins.

Transports en commun

Bordeaux compte **3 lignes** de tramway :
A - Mérignac-La Gardette Bassens Carbon Blanc/Floirac Dravemont (d'ouest en est) ;
B - Claveau-Pessac (du nord au sud) ;
C - Bègles Terres Neuves-Les Aubiers (du sud au nord).
La desserte urbaine combine tramway et bus. On utilise le même titre de transport dans les deux cas, la « Tickarte » (carte magnétique), valable pour un voyage ou plus selon la formule choisie.
Un trajet coûte 1,40 € et un titre journalier 4,10 €.
Des distributeurs se trouvent sur les quais des stations.
℘ 05 57 57 88 88 ou www.infotbc.com
♨ *Plan du tramway au dos du plan détachable.*

11

Transports régionaux

En car
379 communes sont desservies par les bus du réseau TransGironde.
TransGironde – Gare routière : allée de Bristol - ℘ 05 56 52 61 40 - www.gironde.fr

En train
2 lignes girondines : Bordeaux-Arcachon et Bordeaux-Le Verdon (Médoc).
SNCF – ℘ 3635 (0,34 €/mn) - www.voyages-sncf.com

Visites guidées

Forfait « Bordeaux Découverte » – ℗ *p. 8.*

À pied
Office du tourisme de Bordeaux – 12 cours du 30-Juillet - ℘ 05 56 00 66 00 - www.bordeaux-tourisme.com - juil.-août : 9h-19h30 ; mai-juin et sept.-oct. : 9h-19h ; nov.-avr. : 9h-18h30 ; dim. et j. fériés tte l'année : 9h30-18h30 - fermé 1er janv. et 25 déc.
Bordeaux, labellisée **Ville d'art et d'histoire** et classée depuis juin 2007 au Patrimoine mondial de l'Unesco, propose des visites découvertes animées par des guides conférenciers agréés par le ministère de la Culture et de la Communication.
L'office de tourisme propose également un tour commenté ou des visites de la ville à **vélo** *(1er dim. du mois)*, en **autocar** *(de déb. avr. à mi-nov.)*, en **car cabriolet** *(juil.-août)*, en **attelage à chevaux** *(juil.-août)*, en **petit train touristique** *(avr.-nov.)*.

Il organise aussi des circuits dans le **vignoble bordelais**, des initiations à la dégustation du vin ainsi que des visites à thème *(sur réserv.)*, parmi lesquelles les « découvertes économiques » (visite d'une société ou d'un site industriel remarquables), ou la « balade gourmande », ponctuée d'étapes-dégustations de produits régionaux…

En Segway
Voici la nouvelle façon de découvrir la ville sans effort : un brin futuriste, ce mode de locomotion est muni de gyroscopes reproduisant le sens de l'équilibre humain. Debout, le promeneur se penche en avant pour avancer et en arrière pour faire reculer le Segway. Les prix comprennent initiation et accompagnement. 5 r. Louise - ℘ 05 57 54 05 31.

Voile

On la pratique surtout à Carcans-Maubuisson, Hourtin et au **lac de Bordeaux**. Ce dernier couvre 160 ha et offre, à la sortie de la ville, un centre de voile et d'aviron (http://voilebordeaux-lac.fr.st).
Centre de Voile de Bordeaux-Lac – Bd du Parc-des-Expositions - 33520 Bruges - ℘ 05 57 10 60 35 - tlj sf dim. 9h-12h, 14h-18h30. Ce centre nautique organise des stages de bateau et de planche à voile pour les jeunes comme pour les adultes. Également, location de matériel.

MICHELIN *OnWay**

Vous n'êtes jamais seul sur la route

Agenda culturel

Rendez-vous annuels à Bordeaux

➔**Bus de l'art contemporain** – Tous les mois, lors de la journée sans voiture, de 14h30 à 18h30 : parcours commenté, en bus, vers des expositions et des collectifs d'artistes, lesquels vous accueillent à chaque étape. Itinéraire variable. Inscription : kiosque Bordeaux Culture (allées de Tourny). ℘ 05 56 79 39 56.

JANVIER
➔**Rencontres du court 30''30'** – 5 jours. Spectacles de danse, théâtre, musique, vidéo et arts plastiques d'une durée de 30 minutes et 30 secondes. Dans différents lieux de Bordeaux et son agglomération. www.marchesdelete.com

AVRIL
➔**L'Escale du livre** – 3 jours au début du mois. Le Salon du livre de Bordeaux, disséminé à travers la ville : libraires, musées, restaurants, salons de thé… www.escaledulivre.com

➔**Itinéraires des photographes voyageurs** – Durant un mois, photos de tous horizons à découvrir dans différents lieux de Bordeaux. www.itiphoto.com

MAI
➔**Foire internationale de Bordeaux**.

JUIN
➔**Vinexpo** – 5 jours. Tous les deux ans au Parc des expositions, le grand rendez-vous mondial des professionnels du vin. www.vinexpo.fr

➔**Épicuriales** – 15 jours. Stands de cuisine du monde et musique sur les allées de Tourny. ℘ 05 56 00 66 00.

➔**Jazz à la Base** – durant 3 jours. Concerts de jazz dans l'incroyable décor de la base sous-marine. ℘ 05 56 11 11 50.

➔**Fête du vin** – 4 jours fin juin-début juillet, les années paires. Sur la place des Quinconces et une partie des quais. Dégustations de crus, concerts. ℘ 05 56 00 66 00. www.bordeaux-fete-le-vin.com

➔**Fête du fleuve** – Le 3e w.-end de juin, les années impaires. Sur les quais, dégustations de vins et de fruits de mer, sons et lumières, bal, régates et feu d'artifice. www.bordeaux-fete-le-fleuve.com

JUILLET
➔**Cinésites** – Bordeaux, mais également plusieurs villages, châteaux et sites emblématiques du Bordelais accueillent des projections de films en plein air. www.cinesites.tm.fr

➔**Les Grandes Traversées** – 2 à 5 jours. Deux fois par an (juillet et décembre, mais l'agenda de ce festival peut évoluer), un artiste présente, dans un ou plusieurs sites de Bordeaux et sa région, son univers à travers ses créations et celles de ses amitiés artistiques : spectacles de danse, performances théâtrales et musicales, installations vidéo… www.lesgrandestraversees.com.

OCTOBRE

➜**Evento** – 10 jours. Intégration d'œuvres contemporaines dans le paysage urbain : quand l'art sort des musées et investit la ville ! Y interviennent des graphistes, des cinéastes, des plasticiens, des urbanistes, des danseurs, des vidéastes ou encore des philosophes. ✆ 05 56 00 66 00.

➜**Fête du vin nouveau et de la brocante** – 4e week-end d'octobre, rue Notre-Dame. Quelque 70 antiquaires déploient leurs stands à l'occasion de l'arrivée du vin nouveau. ✆ 05 56 81 50 25.

DÉCEMBRE

➜**Les Grandes Traversées** – ♿ *Juillet*.

Événements 2010-2011

➜**Agora** – Avril 2010. Biennale d'architecture, d'urbanisme et de design.
➜**Opéra de Bordeaux** – Programmation janvier-juin 2010 : *La Flûte enchantée* (janv.-fév.), *Le Voyage à Reims* (mars), *West Side Story* (avr.), *Jenufa* (mai), *Jephtha* (juin).
➜**Vinexpo** – Juin 2011.
➜**Musée des Beaux-Arts** – Mai-déc. 2010. Grande expo : mise en avant des collections des 19e et 20e s. : Corot, Matisse, Picasso…
➜**Aquitaine préhistorique, 20 ans de découverte** – Mai-déc. 2010. Musée d'Aquitaine.

Expositions temporaires

Les plus importantes ont lieu au musée d'Art contemporain, au musée d'Aquitaine, au musée des Arts décoratifs, à la galerie des Beaux-Arts, mais également à la base sous-marine et à Cap Sciences.
Agenda en ligne sur www.bordeaux.fr

Galeries d'art contemporain

Arrêt sur l'Image – Hangar G2, quai Armand-Lalande - ✆ 05 56 69 16 48 - www.arretsurlimage.com - mar.-sam. 14h30-18h30.
Cortex Athletico – 20 r. Ferrère - ✆ 05 56 94 31 89 - www.cortexathletico. com - merc.-sam. 12h-19h.
Éponyme Galerie – 3 r. Cornac - ✆ 09 81 74 24 00 - www.eponymegalerie.com - mar.-sam. 13h-19h.
Espace 29 – 29 r. Fernand-Marin - ✆ 05 56 51 18 09 - http://espace29. wordpress.com - lun.-vend. 14h-18h.
Galerie DX – 10 pl. des Quinconces - ✆ 05 56 23 35 20 - www.galeriedx. com - lun.-vend. 14h30-19h30.

À proximité

Quelques événements intéressants, à proximité de Bordeaux.

AVRIL

➜**Fête de la lamproie** – À **Ste-Terre** (près de St-Émilion).
➜**Printemps des Châteaux du Médoc** – 1er et 2e week-end. Portes ouvertes dans les grands châteaux viticoles du Médoc. www.pauillac-medoc.com
➜**Portes ouvertes des châteaux de Lalande-de-Pomerol** – 3e w.-end. www.lalande-pomerol.com

15

→**Fête de l'agneau** – Fin avril début mai, à **Pauillac**.

MAI

→**Jumping national d'Arcachon** – Course sur la plage (mai ou juin selon les marées).

→**Châteaux portes ouvertes à St-Émilion** – 1er week-end. www.vins-saint-emilion.com

→**Portes ouvertes en premières côtes de Bordeaux et Cadillac** – Pentecôte, à **Cadillac**.

JUIN

→**Soulac 1900** – 1er week-end, à **Soulac**. Grande parade de la Belle Époque, train à vapeur, découverte de l'estuaire de la Gironde en bateau, spectacles de rue et petits métiers d'autrefois. www.soulac1900.fr

→**Jurade de printemps** – 3e dimanche, à **St-Émilion**. Fête de printemps. Défilé des jurats, messe, intronisations et proclamation du jugement du vin nouveau. www.vins-saint-emilion.com et www.saint-emilion-tourisme.com

JUILLET

→**Fêtes de l'huître** – Juillet-août. Autour du bassin d'**Arcachon**, dans chaque commune : animations, bandas, dégustation, feu d'artifice. www.bassin-arcachon.org

→**Les 18 heures d'Arcachon Sud-Ouest** – 1er week-end, à **Arcachon**. Régates en mer et village de guinguettes plage Pereire.

→**Grands Crus musicaux** – Durant 10 jours. Concerts de musique classique dans de grands châteaux du Bordelais. www.grandscrusmusicaux.com

→**Foire aux sarments** – 2e samedi, à **St-Yzans-de-Médoc**. Découverte du patrimoine, des traditions et de la gastronomie médocaine.

→**Jazz en liberté** – Dernier week-end, à **Andernos-les-Bains**. Concerts gratuits en plein air. www.andernoslesbains.fr

→**Fête de la vigne et de la gastronomie** – Dernier week-end, à **Sauveterre-de-Guyenne**. www.sauveterre-de-guyenne.com

AOÛT

→**Fête de la mer** – 14 et 15 août, à **Arcachon**. Bénédiction des bateaux, régates de pinasses à voile et musique en soirée. www.arcachon.com

→**Lacanau Pro** – Mi-août, à **Lacanau**. Étape des championnats du monde de surf. www.lacanausurfclub.com

→**Jazz and Wine** – 3e vendredi, à **Pauillac**. www.pauillac-medoc.com

SEPTEMBRE

→**Cadences** – 3e semaine, à Arcachon. Festival de danse. www.arcachon.com

→**Jurade d'automne** – 3e dimanche, à **St-Émilion**. Ban des vendanges, défilé des jurats, messe, intronisations et proclamation solennelle du ban des vendanges. www.vins-saint-emilion.com ou www.saint-emilion-tourisme.com

→**Fête des vendanges** – 3e samedi, à **Sauternes**.

→**Châteaux portes ouvertes en Fronsac** – 3e week-end.

DÉCEMBRE

→**Week-end portes ouvertes** – 1er week-end, à **Pessac-Léognan**. www.otmontesquieu.com

Canelés

Nos adresses

19

Se loger

Tous les deux ans (années impaires), autour de la deuxième quinzaine de juin, il est pratiquement impossible de se loger à Bordeaux, alors envahie par la vague de professionnels du vin qui déferle sur la ville à l'occasion du salon Vinexpo. Le reste de l'année, vous ne devriez pas rencontrer de difficultés. Si la plupart des hôtels sont situés dans l'hyper centre (Triangle, Gambetta), la demande croissante liée à l'explosion du tourisme a conduit les professionnels de l'hôtellerie à ouvrir de nouveaux établissements dans les quartiers de proximité : Chartrons, Mériadeck… Vous pouvez réserver votre hébergement grâce à la **centrale de réservation** de l'office de tourisme, **www.bordeaux-tourisme.com**, qui propose des promotions sur les séjours.

Repérez les adresses sur le plan détachable grâce aux pastilles numérotées (ex. ①). Les numéros en rouge désignent les coordonnées de ce même plan. Nos tarifs correspondent au prix mini d'une chambre double en haute saison.

Le Triangle

MOINS DE 70 €

⑦ **Hôtel Opéra** – **C5** - *35 r. Esprit-des-Lois - Tram B-C Quinconces - ☏ 05 56 81 41 27 - www.hotel-bordeaux-centre.com - 28 ch.* Hôtel familial sans prétention à deux pas du Grand Théâtre et des allées de Tourny. Accueil, entretien régulier (couloirs, moquettes, literie et voilages neufs), chambres fonctionnelles et prix raisonnables pour la ville composent les atouts de l'adresse.

DE 70 À 100 €

⑩ **Hôtel des Quatre Sœurs** – **C4** - *6 cours du 30-Juillet - Tram B-C Quinconces - ☏ 05 57 81 19 20 - www.hotel-bordeaux-centre.com - 🖃 - 34 ch.* Ce vénérable établissement idéalement situé en plein cœur de Bordeaux s'enorgueillit d'avoir hébergé le musicien Richard Wagner et l'écrivain John Dos Passos. Restauré, il abrite aujourd'hui des chambres claires, climatisées, très bien insonorisées et garnies de jolis meubles peints.

⑤ **Hôtel Continental** – **C5** - *10 r. Montesquieu - Tram B Gambetta - ☏ 05 56 52 66 00 - www.hotel-le-continental.com - 50 ch., 1 suite.* Ancien hôtel particulier du 18ᵉ s. situé à proximité du marché des Grands Hommes. Plaisantes chambres, de tailles variées, au décor rénové. Salon cosy joliment meublé.

PLUS DE 100 €

⑲ **The Regent Grand Hotel** – **C5** - *2 pl. de la Comédie - Tram B Grand-Théâtre - ☏ 05 57 30 44 44 - www.theregentbordeaux.com - 🖃 - ♨ - 150 ch.* Hôtel prestigieux face au Grand Théâtre. Chambres cossues au décor néoclassique signé Jacques Garcia, associant élégance et aménagements haut de gamme. Dans ses murs, Le Pressoir d'Argent, restaurant gastronomique, et la Brasserie de l'Europe.

St-Pierre

MOINS DE 70 €

① **Hôtel Acanthe** – **C5** - *12 r. St-Rémi -
Tram C Place-de-la-Bourse - ℘ 05 56 81
66 58 - www.acanthe-hotel-bordeaux.
com - 20 ch.* La situation centrale et les
prix très raisonnables sont les points
forts de cet établissement en partie
rénové. Les chambres, de taille correcte,
sont claires et bien insonorisées,
et l'accueil est agréable.

Pey-Berland

DE 70 À 100 €

⑥ **Hôtel de la Presse** – **C5** - *6 r. Porte-
Dijeaux - Tram B Grand-Théâtre -
℘ 05 56 48 53 88 - www.hoteldelapresse.
com -* 🗏 *- 27 ch.* Sympathique petit
hôtel situé dans le quartier piétonnier et
commerçant du centre-ville ; précisons
toutefois que l'accès en voiture est
parfois un peu difficile. Un escalier
agrémenté d'un tapis rouge carmin
conduit à de confortables chambres
fonctionnelles.

㉘ **Une Chambre en Ville** – **C5** -
*35 r. Bouffard - Tram B Hôtel-de-
Ville - ℘ 05 56 81 34 53 - www.
bandb-bx.com - 5 ch.* Cet immeuble
à mi-chemin entre Pey-Berland et
Gambetta a été entièrement rénové et
abrite des chambres personnalisées et
parfaitement tenues.

Mériadeck / Gambetta

MOINS DE 70 €

③ **Hôtel Citéa** – **B6** - *1 bis r. Jean-
Renaud-Dandicolle - Tram A Hôtel-de-*

*Police - ℘ 05 56 56 18 00 - www.citea.
com -* ⬧ *- 98 studios, 10 appart.* Un
immeuble neuf qui abrite une résidence
hôtelière avec plusieurs formules :
studios ou deux-pièces, toujours avec
une cuisinette équipée, mais aussi
possibilité de prendre le petit-déjeuner
dans le salon au rez-de-chaussée.
Décoration sobre et fonctionnelle.

⑪ **Hôtel Gambetta** – **C5** - *66 r. de
la Porte-Dijeaux - Tram B Gambetta -
℘ 05 56 51 21 83 - www.hotel-gambetta.
com - 31 ch.* Donnant sur une rue
commerçante animée, des chambres
modernes et calmes aux tons clairs.
Un hôtel bien situé, entre Gambetta
et le Vieux Bordeaux.

DE 70 À 100 €

㉗ **Hôtel de la Tour Intendance** –
C5 - *16 r. de la Vieille-Tour - Tram B
Gambetta - ℘ 05 56 44 56 56 - www.
hotel-tour-intendance.com -* 🗏 *- 35 ch.*
Pierres apparentes et tomettes à
l'intérieur : les chambres confortables,
climatisées et personnalisées participent
au charme de l'endroit. Accueil agréable
et souriant.

Jardin public

MOINS DE 70 €

㉖ **Hôtel Studio** – **C4** - *26 r. Huguerie -
Tram B-C Quinconces - ℘ 05 56 48
00 14 - studio@hotel-bordeaux.com -
40 ch.* Rudimentaires mais propres, les
chambres les moins chères de Bordeaux !

DE 70 À 100 €

⑬ **Maison du Lierre** – **B4** - *57 r.
Huguerie - Tram B-C Quinconces -
℘ 05 56 51 92 71 - www.maisondulierre.*

com - *12 ch.* Mobilier chiné, lumière ambrée et terrasse en teck pour le petit-déjeuner : une véritable « adresse de charme ».

PLUS DE 100 €

⑫ **Maison Bord'Eaux** – B4 - *113 r. Albert-Barraud -* ℘ *05 56 44 00 45 - www.lamaisonbord-eaux.com - 6 ch.* Design contemporain, confort haut de gamme et accueil chaleureux de Brigitte Lurton, qui vous proposera la visite d'un domaine viticole : découverte des chais et dîner au château.

⑱ **Petit Hôtel Labottière** – B4 - *14 r. Francis-Martin -* ℘ *05 56 48 44 10 - www.petithotellabottiere.fr.* Superbes, deux appartements dans un hôtel particulier classé (♥ p. 71). L'hébergement sur place vous donne droit à une visite privée et gratuite.

Les Chartrons

MOINS DE 70 €

⑰ **Hôtel Notre-Dame** – C3 - *36 r. Notre-Dame - Tram B CAPC -* ℘ *05 56 52 88 24 - www.hotelnotredame.free.fr - 22 ch.* Petites chambres bien tenues et salon confortable. L'ancien « pavé » des Chartrons (belles demeures de négociants) constituera une jolie balade à deux pas de l'établissement.

DE 70 À 100 €

⑯ **Mercure Cité Mondiale** – C4 - *18 parvis des Chartrons - Tram B CAPC -* ℘ *05 56 01 79 79 - www.mercure.com -* 🖥 *- 96 ch.* Chambres contemporaines et toit-terrasse dominant tout Bordeaux vous attendent dans l'enceinte de la Cité mondiale. Au 20, dégustations de crus et plats bistrotiers.

PLUS DE 100 €

㉕ **Seeko'o** – D2 - *54 quai de Bacalan - Tram B Les-Hangars -* ℘ *05 56 39 07 07 - www.seekoo-hotel.com -* 🖥 *- 45 ch.* Le nom de l'établissement, Seeko'o – iceberg en inuit –, donne le ton : bâtiment à la façade blanche surgi sur les bords de la Garonne et chambres design lookées pop.

St-Jean

MOINS DE 70 €

② **AJ Barbey** – D7 - *22 cours Barbey - Tram C Tauzia -* ℘ *05 56 33 00 70 - www.auberge-jeunesse-bordeaux.com.* Attenante à la salle de concert du même nom, une AJ aux dortoirs impeccables. Chambres doubles disponibles.

⑳ **Hôtel Regina** – D7 - *34 r. Charles-Domercq - Tram C Gare St-Jean -* ℘ *05 56 91 66 07 - www.hotelreginabordeaux. com - 40 ch.* Face à la gare, dans un immeuble du 19e s., un hôtel aux chambres coquettes à prix doux, idéal pour qui ne voudrait pas manquer son train aux aurores.

À proximité

PLUS DE 100 €

㉔ **St-James** – H8 - *3 pl. Camille-Hostein, Bouliac -* ℘ *05 57 97 06 00 - www.saintjames-bouliac.com -* 🖥 *-* 🏊 *- 18 ch.* Élégance rare et lignes pures dans cet établissement signé Jean Nouvel : l'hôtel de tous les fastes.

22

L'hôtel Continental.

Se restaurer

Restaurants traditionnels, brasseries, néo-bistrots régionaux ou fusion, huppés ou branchés… Le goût de la bonne chère, dans l'épicurienne capitale du vin, est un héritage qui va de soi : ici aussi et encore, le flacon accompagne le mets et non l'inverse.

Entre terre et mer, le Port de Lune, bien loti, rapporte poissons, fruits de mer et viandes (lamproie, esturgeon, huîtres, foie gras, bœuf de Bazas), accompagnés de cèpes, d'artichauts ou d'asperges, autant dans les cantines que sur les grandes tables, pas forcément centrales d'ailleurs : n'hésitez pas à quitter les sentiers battus.

♿ « La cuisine bordelaise » p. 114.
Allez également voir quelques pages plus loin le chapitre « Prendre un verre » car certaines des adresses sélectionnées servent des repas légers parfaits pour déjeuner.

♿ *Repérez les adresses sur le plan détachable grâce aux pastilles numérotées (ex. ①). Les numéros en rouge désignent les coordonnées de ce même plan.*

Le Triangle

➜DÉJEUNER

DE 15 À 30 €

㊵ **La Boîte à huîtres** – **C5** - *36 cours du Chapeau-Rouge - Tram B Grand-Théâtre -* ℘ 05 56 81 64 97 - lun. 10h-15h, mar.-dim. 10h-15h, 18h-23h30. Bivalves de Quiberon à déguster, sur l'agréable terrasse d'un cours rendu aux piétons, à l'ombre du majestueux Grand Théâtre.

㊼ **Le Café bordelais** – **C4** - *15 allées de Tourny - Tram B-C Quinconces -* ℘ 05 56 81 49 94 - tlj midi et soir. Un bien joli endroit au cœur de la ville, sur les célèbres allées de Tourny. Cette brasserie a su marier l'ancien du parquet et des banquettes au design des lampions et autres bibelots disposés de-ci de-là. Service jeune et souriant, cuisine du Sud-Ouest accompagnée d'une carte des vins elle aussi régionale.

➜DÎNER

PLUS DE 30 €

㊿ **Le Chapon fin** – **C5** - *5 r. Montesquieu - Tram B Gambetta -* ℘ 05 56 79 10 10 - www.chapon-fin. com - mar.-sam. 12h-13h45, 20h-21h45. Côté assiette : langoustines et caviar d'Aquitaine, pigeon contisé à l'ail confit, tête de violon et noix fraîches (automne-hiver), pressé de pain d'épice façon tatin, tuile au sésame et glace cannelle (hiver). Côté verre : côtes-de-blaye, saint-estèphe. Au cœur du Triangle, voici une vraie institution bordelaise, fréquentée par les gourmets dans un original décor de rocaille 1900.

St-Pierre

➜DÉJEUNER

MOINS DE 15€

㊼ **La Cheminée royale** – **C5** - *56 r. St-Rémi - Tram C Place-de-la-Bourse -* ℘ 05 56 52 00 52 - lun. 19h-23h, mar.-sam. 12h-14h30, 19h-23h. Dans la salle à manger de ce restaurant convivial trône la grande cheminée où sont préparées les grillades (pavé de bœuf au foie gras, brochettes, etc.). Les menus proposés tournent autour d'une cuisine traditionnelle parfaitement maîtrisée.

⑦ **Santosha** – C5 - *2 pl. Fernand-Lafargue - Tram A Ste-Catherine -* ☏ *09 50 44 10 19 - 12h-23h.* Le petit frère du très branché Moshi Moshi, situé sur la même place. *Nasi Goreng, Pad Thaï,* salade de papaye et autres plats asiatiques en vogue s'y dégustent, parmi de drôles d'éléphants sixties, dans un joyeux brouhaha.

DE 15 À 30 €

㉘ **Le Petit Commerce** – C5 - *22 r. du Parlement-St-Pierre - Tram C Place-de-la-Bourse -* ☏ *05 56 79 76 58 - www. le-petit-commerce.info - lun.-sam. 12h-15h, 19h-23h, dim. 19h-23h.* Tables de bistrot, comptoir en formica et poissons selon l'arrivage (turbot, morue, anguille, merlan…) : dans cette cantine colorée et décontractée où Fabien, le chef, vient saluer ses habitués, on fait beaucoup d'effet avec peu de moyens. Un coup de cœur !

➜ DÎNER

DE 15 À 30 €

㊸ **La Brasserie bordelaise** – C5 - *50 r. -St-Rémi - Tram C Place-de-la-Bourse -* ☏ *05 57 87 11 91 - www. brasseriebordelaise.fr - lun.-sam. 12h-15h, 19h-0h.* La bouteille est reine dans ce grand restaurant-cave aux pierres apparentes, partout décorée d'hommages à Bacchus. Passé chez Jean-Pierre Xiradakis (La Tupina, ♿ *p. 26*), Nicolas Lascombes y délivre, sur de longues tables de bois ou au

comptoir de dégustation, ce que la région fait de mieux : jambon de porc noir, épaule d'agneau braisée, andouillette, entrecôte de bœuf de Bazas, lamproie à la bordelaise. À voir : la superbe salle voûtée, au sous-sol.

PLUS DE 30 €

㊳ **Le Vieux Bordeaux** – C5 - *27 r. Buhan - Tram B Musée-d'Aquitaine -* ☏ *05 56 52 94 36 - www.levieuxbordeaux. com - mar.-sam. 12h-14h, 20h-22h.* Deux salles à manger redécorées avec goût (tons gris, mobilier de style et contemporain) dont une ouverture sur un patio-terrasse. Généreuse cuisine classique.

㉠ **Le Gabriel** – C5 - *10 pl. de la Bourse - Tram C Place-de-la-Bourse -* ☏ *05 56 30 00 70 - www.bordeaux-gabriel.fr - mar.-sam. 12h-13h30, 19h30-21h30.* Un restaurant sur la place de la Bourse, les Bordelais en rêvaient depuis longtemps : en 2009, leur vœu fut exaucé. Gratifiée d'un bistrot contemporain et d'un bar, cette très élégante table gastronomique rend hommage aux architectes du roi, Gabriel père et fils, qui réalisèrent la place en 1755. À savourer face au miroir d'eau : turbot sauvage braisé, pigeon fermier rôti au foie gras ou noix de ris de veau à la vanille par François Adamski.

St-Michel / Victoire

➜ DÉJEUNER

MOINS DE 15€

㉞ **Bar-cave de la Monnaie** – D6 - *34 r. de la Porte-de-la-Monnaie - Tram C Ste-Croix -* ☏ *05 56 91 56 37 - www. latupina.com - lun.-sam. 12h-15h, 18h-0h,* *dim. 12h-15h.* Dans une petite rue qui semble tout entière possédée par le très médiatique Jean-Pierre Xiradakis (3 enseignes, dont ce bar-cave et la Tupina), un bistrot traditionnel de quartier pour les amoureux de terroir : pièce du boucher, andouillette à l'ancienne, pied de porc et vin à prix doux.

DE 15 À 30 €

(48) **Café des Arts** – C6 - *138 cours Victor-Hugo - Tram B Musée-d'Aquitaine - ☏ 05 56 91 78 46 - 12h-0h.* Véritable institution bordelaise, ce grand café Art déco au charme désuet délivre, à toutes les heures de la journée ou presque, une roborative cuisine de brasserie : entrecôte aux échalotes, tartare, andouillettes, aiguillettes de canard au miel.

→DÎNER

MOINS DE 15€

(62) **Le Palatium** – C6 - *22 cours Pasteur - Tram B Musée-d'Aquitaine - ☏ 05 56 91 47 47 - 12h-14h30, 19h30-0h.* Il sert la côte de bœuf la moins chère de Bordeaux sans en négliger la qualité, il suffit d'observer la foule pour s'en convaincre. Mais aussi tournedos, magrets et gambas dans cette brasserie bruyante et turbulente sans chichis devenue un repère dans la ville.

PLUS DE 30 €

(56) **Le Cochon volant** – C6 - *22 pl. des Capucins - Tram B Victoire - ☏ 05 57 59 10 00 - mar.-vend. 19h-4h, w.-end 8h-4h.* Cuisine rustique sur l'ardoise et note salée, mais ce Cochon est probablement la seule adresse où vous pourrez ripailler

après 2h : tricandilles, cochon de lait, os à moelle et parmentier de canard confit. Les noctambules, à la sortie des bars, en connaissent les effets bénéfiques.

(49) **Café du Théâtre** – D6 - *3 pl. Pierre-Renaudel - Tram C Ste-Croix - ☏ 05 57 95 77 20 - mar.-sam. 12h-14h, 20h-22h30.* Superbe table sous la houlette de Jean-Marie Amat. Raffinée, inventive, la cuisine de terroir s'y déguste dans une salle épurée, aux tons chauds.

(72) **La Tupina** – D6 - *6 r. Porte-de-la-Monnaie - Tram C Ste-Croix - ☏ 05 56 91 56 37 - www.latupina.com.* Ambiance décontractée dans cette maison à l'atmosphère champêtre. Plats du Sud-Ouest rôtis dans la cheminée ou mijotés sur le fourneau, comme autrefois. Belle carte des vins.

Pey-Berland

→DÉJEUNER

DE 15 À 30 €

(36) **Restaurant du musée des Arts décoratifs** – C5 - *39 r. Bouffart - Tram A-B Hôtel-de-Ville - ☏ 05 56 52 60 49 - fermé mar.* Niché dans la cour de l'hôtel particulier Lalande qui abrite le musée des Arts décoratifs, ce restaurant-salon de thé offre un cadre élégant pour un déjeuner tranquille loin des bruits de la rue. Cuisine maison à base de produits du marché.

(35) **Le Bistrot du Musée** – C5 - *37 pl. Pey-Berland - Tram A-B Hôtel-de-Ville - ☏ 05 56 52 99 69 - www. lebistrotdumusee.com - lun.-sam. 12h-22h30.* D'emblée, on éprouve de la sympathie pour ce bistrot à la jolie devanture en bois vert foncé et au cadre

Restaurant L'Oiseau bleu.

26

soigné : murs de pierres apparentes, parquet en chêne, banquettes en moleskine et décor d'outils vignerons. Cuisine du Sud-Ouest escortée d'une belle carte de vins du Bordelais.

Mériadeck / Gambetta

➔DÎNER

PLUS DE 30 €

㉜ **L'Alhambra** – B5 - *111 bis r. Judaïque - Tram A Mériadeck - ✆ 05 56 96 06 91 - lun., sam. 19h45-21h30, mar.-vend. 12h-13h45, 19h-21h30.* Adresse plaisamment agencée à la façon d'un jardin d'hiver : coloris verts et confortable mobilier en rotin. Les plats classiques flattent les palais de l'Alhambra.

(55) **Le Clos d'Augusta** – A5 - *339 r. Georges-Bonnac - Tram A St-Bruno - ✆ 05 56 96 32 51 - fermé sam. midi et dim.* L'enseigne emprunte son nom à un célèbre golf américain : le chef a en effet deux passions, la cuisine et les greens. Beau jardin-terrasse sur l'arrière. Recettes actuelles.

Jardin public

➔DÉJEUNER

DE 15 À 30 €

㊶ **La Bonne Table** – C4 - *17 r. Huguerie - Tram B-C Quinconces - ✆ 05 56 01 11 49 - fermé dim. soir.* D'appétissants menus à dominante de produits de la mer, en direct de la criée d'Arcachon, vous seront servis dans ce restaurant de quartier au cadre très sobre. Sachez en outre que le chef fume lui-même son saumon, et que si vous n'avez jamais goûté à la lamproie bordelaise, vous avez frappé à la « bonne table » !

㉝ **Auberge'Inn** – A4 - *245 r. de Turenne - ✆ 05 56 81 97 86 - fermé sam., dim. et j. fériés.* Murs couleurs aubergine et vert anis, décor contemporain épuré, mobilier moderne, agréable petite terrasse et cuisine dans l'air du temps : une auberge vraiment « in » !

➔DÎNER

PLUS DE 30 €

(65) **Le Pavillon des Boulevards** – B3 - *120 r. Croix- de-Seguey - ✆ 05 56 81 51 02 - lun., sam. 19h45-21h30, mar.-vend. 12h-14h30, 19h-21h30.* Ouvert sur une verdoyante terrasse, ce restaurant illustre une belle modernité : sobriété (tons clairs, parquet), touches colorées (vaisselle, fleurs), carte inventive et soignée. Saint-Jacques fumées à l'anis étoilé (d'octobre à mi-avril) ou pigeonneau rôti et civet, arôme de chocolat et parfum de cannelle. Poires pochées au sauternes, purées de coing, émulsion cacao et châtaignes confites (de septembre à décembre).

Les Chartrons

➔DÎNER

DE 15 À 30 €

㊷ **Le Boucher** – C3 - *35 r. Borie - Tram B Chartrons - ✆ 05 57 87 20 58 - mar.-dim. 20h-0h.* Cachée dans une rue ombragée du quartier des Chartrons, une salle à manger de grand-mère pour de copieuses pièces de viande grillées dans la cheminée.

⑥⑧ **Quaizaco** – D3 - *80 quai des Chartrons - Tram B Chartrons -* ☎ *05 57 87 67 72 - fermé sam. midi et dim.* Dans un entrepôt du 18e s., où les pierres de taille côtoient harmonieusement meubles et tableaux contemporains (expositions temporaires). Carte actuelle.

⑤④ **Chez Dupont** – C3 - *45 r. Notre-Dame - Tram B CAPC -* ☎ *05 56 81 49 59 - fermé dim. et lun.* Une cuisine du marché présentée avec goût et raffinement sur un mode bistrot, dans un lieu chaleureux en plein cœur des Chartrons.

PLUS DE 30 €

⑥⓪ **Gravelier** – C3 - *114 cours Verdun - Tram C Place-Paul-Doumer -* ☎ *05 56 48 17 15 - lun.-vend. 12h-13h30, 20h-21h45.* Teck, zinc, couleurs vitaminées et vue sur les cuisines vitrées restructurées. Plats inventifs influencés par l'Asie, menu « carte blanche » où s'exprime toute la créativité du chef.

La Bastide

➔DÉJEUNER

DE 15 À 30 €

⑤⑨ **L'Estacade** – D5 - *Quai des Queyries - Tram A Stalingrad -* ☎ *05 57 54 02 50 - www.lestaquade.com - 12h-14h, 19h30-23h.* Posée sur la Garonne, cette insolite construction sur pilotis contemple le vieux Bordeaux. Décor épuré, menu du jour et carte recomposée chaque saison : un lieu très prisé !

⑥⑦ **La Petite Gironde** – D4 - *75 quai des Queyries - Tram A Stalingrad -* ☎ *05 57 80 33 33 - www.lapetitegironde.fr - fermé sam. midi et dim. soir.* Ce restaurant posé sur la rive droite de la Garonne arbore un joli décor, parfaitement dans l'air du temps. Terrasse « les pieds dans l'eau » très prisée et plats traditionnels.

➔DÎNER

PLUS DE 30 €

⑥① **L'Oiseau bleu** – E4 - *127 av. Thiers - Tram A Thiers-Benauge -* ☎ *05 56 81 09 39 - www.loiseaubleu.fr - fermé dim.-lun.* Dans une jolie maison en pierre, deux salles épurées au ton bleu dominant ouvrent sur une délicieuse terrasse côté jardin. Cuisine actuelle.

À proximité

29

➔DÎNER

PLUS DE 30 €

Jean-Marie Amat – Hors plan - *26 r. Raymond-Lis - 33310 Lormont - Tram A Mairie-de-Lormont -* ☎ *05 56 06 12 52 - www.jm-amat.com - fermé 2 sem. en août, 1 sem. en déc., sam. midi, dim. et lun. - sur réserv.* L'ancien « enfant terrible » signe son retour avec une table contemporaine, logée dans un château réhabilité : belle cuisine actuelle, véranda épurée, vue sur la verdure et le pont d'Aquitaine. Salade d'huîtres au caviar d'Aquitaine et crépinettes grillées, homard rôti aux pommes de terre et gousses d'ail, croustade aux pommes et sorbet pomme-gingembre en dessert.

Prendre un verre

Bordeaux, ses vastes terrasses en témoignent, est bien une ville du Sud. Comme à Marseille ou Toulouse, les apéritifs ensoleillés y ont quelque chose de sacré : certains ici optent pour un sauternes, d'autres pour le traditionnel Lillet. Plus tôt, vous aurez dégusté un café – ou un thé – sur un toit, dans un jardin anglais, un salon chic ou bohème, mais l'heure est désormais à d'autres réjouissances : aux comptoirs des bars à vin de St-Pierre et dans les pubs de Pey-Berland, on se prépare pour la nuit.
♿ *Ci-dessous, les numéros en rouge désignent les coordonnées du plan détachable.*

Le Triangle

Chris'Teas – C5 - *16 passage Sarget - Tram B Grand-Théâtre - ☎ 05 56 81 29 86 - mar.-sam. 10h30-19h.* Verts, blancs, fumés, de Chine, d'Inde ou de Java, plus de 150 thés à déguster dans ce salon contemporain du très chic passage Sarget, face à la place du Chapelet. Des assortiments rendent hommage aux monuments et places de la ville : thé Grand Théâtre (épices, baies roses, écorces de fruits), Grand Hôtel (figue, mandarine, châtaigne)…

Le Napoléon 3 – C4 - *6 bis cours du 30-Juillet - Tram B-C Quinconces - ☎ 05 56 81 52 26 - lun.-sam. 7h15-21h.* Face aux allées de Tourny, où elles pavanaient jadis, un café orné de moulures pour les élégantes d'aujourd'hui, auxquelles se mêlent désormais les touristes. On s'y attable pour un café, un thé, ou à midi pour un déjeuner terroir. Une institution.

Le Bar à vin du CIVB – C4 - *3 cours du 30-Juillet - Tram B-C Quinconces - ☎ 05 56 00 43 47 - www.bordeaux.com - 11h-22h.* Le hall de la Maison du vin de Bordeaux, immeuble du 18e s. au décor design, est consacré à la dégustation. Trois sommeliers pour des explications, et des assiettes de fromages ou charcuteries pour accompagner.

St-Pierre

Ailleurs à Bordeaux – C5 - *3 pl. du Parlement - Tram C Place-de-la-Bourse - ☎ 05 56 52 92 86 - sais. 10h-0h ; hors sais. 10h-20h30.* Cette boutique originale et dépaysante abrite sous le même toit un salon de thé, une librairie consacrée aux voyages et une belle sélection d'objets « d'ailleurs ». L'adresse, pleine de charme et tenue par un couple qui a parcouru de nombreux pays, invite à savourer le bonheur de l'évasion.

Café Brun – C5 - *45 r. St-Rémi - Tram C Place-de-la-Bourse - ☎ 05 56 52 20 49 - 17h-2h.* Un endroit hors du temps : le décor de bois, les murs recouverts d'affiches début du siècle plairont aux amateurs de bière et de piano-jazz pour une soirée dans une ambiance chaleureuse et décontractée.

Café l'Utopia – C5 - *5 pl. Camille-Jullian - Tram A Ste-Catherine - ☎ 05 56 79 39 25 - 11h30-23h30.* Ancienne église réhabilitée en cinéma au style gothique, l'Utopia propose des films d'art et d'essai à prix mini pour un engagement en faveur du 7e art. Avec ou sans séance, c'est également un lieu d'échange, de passage

Le Bar à vin du CIVB.

très animé pour une pause-café ou un en-cas à base de produits du terroir.

Le Chabrot – C5 - 32 r. du Chai-des-Farines - Tram A Place-du-Palais - ℘ 05 56 01 26 53 - mar.-sam. 20h-2h. Plaques émaillées, jazz et lumières ambrées donnent le ton dans ce bistrot à vin doublé d'un bar à tapas, où l'on vient converser et repart après avoir festoyé. Les tranches de magret fumé, de caviar d'aubergine, de saucisson ou de jambon espagnol s'accompagnent de l'un des 25 crus sélectionnés chaque mois.

La Comtesse – C5 - 25 r. du Parlement-St-Pierre - Tram C Place-de-la-Bourse - ℘ 05 56 51 03 07 - lun.-sam. 18h-2h. Enveloppé de musique *lounge*, un bar cosy sous de belles pierres apparentes. Son mobilier dépareillé dont raffolent bobos et babas rappelle qu'ici officiait autrefois un antiquaire.

Cafecito – C5 - 7 r. du Parlement-St-Pierre - Tram C Place-de-la-Bourse - ℘ 05 56 44 43 89 - www.cafecito.fr - mar.-sam. 11h-2h. Son grand succès n'a d'égale que sa petite taille, aussi les habitués – faune branchée de St-Pierre – investissent-ils les trottoirs de son *alter-ego*, le Café City, juste en face. La recette de la gloire ? Des *beats* ravageurs assénés par ses DJ's et le charme aux quatre saisons de la place St-Pierre.

Bodega Bodega – C5 - 45 r. des Piliers-de-Tutelle - Tram B Grand-Théâtre - ℘ 05 56 01 24 24 - lun.-sam. 12h-15h, 19h-2h. À deux pas du Grand Théâtre, décibels, tapas et *rioja* : un coin d'Espagne en ville. Attention à ne pas confondre avec le Bodegon, place de la Victoire (l'erreur est suffisamment commise pour être rappelée !).

Grand Bar Castan – C5 - 2 quai de la Douane - Tram C Place-de-la-Bourse - ℘ 05 56 44 51 97 - 9h-2h. Son incroyable décor de rocaille vaut à lui seul le détour ! Ouvert en 1890, ce café, l'un des plus vieux de la ville, s'est fait une spécialité du croque-monsieur, mais l'on peut s'y arrêter pour un simple café ou un verre, face aux eaux brunes de la Garonne et au miroir d'eau.

Bô Bar – C5 - 8 pl. St-Pierre - Tram C Place-de-la-Bourse - ℘ 05 56 79 38 20 - www.lebobar.fr - lun. 18h-2h, mar.-sam. 12h-15h, 18h-2h. Lomo, saucisses piquantes, thon basquaise et axoa régalent les gourmets dans ce bistrot à vins fantaisiste et mini où l'on vient d'abord déguster des vins de choix : plus de 100 étiquettes. Belle terrasse ombragée.

St-Michel / Victoire

Brasserie du Passage – D6 - 14-15 pl. Canteloup - Tram C St-Michel - ℘ 05 56 91 20 30 - jeu.-mar. 7h-21h. Restau-brocante suranné, c'est la cantine des antiquaires du passage St-Michel, et leur café. À essayer le samedi à l'heure du marché, quand tout Bordeaux vient remplir son panier, ou le dimanche après la brocante. Belle vue sur la flèche St-Michel.

Pey-Berland

Café Français – C5 - 5 pl. Pey-Berland - Tram A-B Hôtel-de-Ville - ℘ 05 56 52 96 69 - lun.-sam. 8h-22h30, dim. 8h-20h30. Ouverte au tournant du 20e s. – un tramway, mais un autre, passait alors déjà devant sa terrasse –, une véritable

brasserie à la française, face à la cathédrale St-André. On y prend cafés ou apéritifs, en regardant Bordeaux aller et venir. Excellente cuisine de région.
Dick Turpin's – C5 - *72 r. du Loup - Tram A-B Hôtel-de-Ville -* 📞 *05 56 48 07 52 - lun.-sam. 18h-2h*. Intime et chaleureux, bruyant – les heures passant – comme il se doit, un pub sous une charpente apparente pour écouter de la bonne musique et refaire le monde. Guinness, Beamish Red, Stella, Strongbow…

Mériadeck / Gambetta

Pub Connemara – B5 - *14-18 cours d'Albret - Tram A Palais-de-Justice -* 📞 *05 56 52 82 57 - www.connemara-pub. com - 11h30-2h*. Concerts de musique irlandaise, fêtes traditionnelles (St Patrick, Halloween), événements sportifs, billard… Toutes les occasions sont bonnes pour pousser la porte du plus célèbre pub de Bordeaux !

Jardin Public

L'Orangerie – C4 - *Cours de Verdun, Jardin public - Tram C Jardin-Public -* 📞 *05 56 48 24 41 - lun.-dim. 9h-17h30 (hiver), 20h (été)*. Il faut savoir être patient dans ce salon de thé mondain coiffé d'un péristyle néoclassique, mais la vue reposante du Jardin public, au cœur duquel il déploie sa terrasse délicieuse, est une invite à faire durer le temps. Pâtisseries, thés, soupes, jus de fruits frais et plats simples.

La Bastide

Guinguette Chez Alriq – D4 - *2 quai des Queyries - Tram A Stalingrad -* 📞 *05 56 86 58 49 - mar.-sam. 16h-2h, dim. 12h-19h (vend.-dim. uniquement en hiver)*. Verdure, loupiotes et concerts en plein air sur les berges de l'autre Bordeaux, celui de la rive droite. De cette guinguette populaire, on admire la façade depuis les quais, les pieds (presque) dans l'eau, en sirotant un verre. Un régal. Restaurant.

33

Sortir

Programmes et billetterie

Cinéma, théâtre, musique, danse… Tout l'agenda des sorties bordelaises est réuni dans l'hebdomadaire *Bordeaux Plus*. Soirées et concerts sont détaillés dans le *Clubs et Concerts*, disponible un peu partout (bureaux de tabac, magasins, cafés). Consultez également son site Internet *(www.clubsetconcerts. com)* ainsi que celui du fanzine *Happen (www.happen.fr)*.

Kiosque Bordeaux Culture – *Allées de Tourny - Tram B-C Quinconces - ☎ 05 56 79 39 56 - 11h-18h.* Billetterie et vente de places à tarif réduit (-50 %) le jour même pour 8 salles (Opéra de Bordeaux, Théâtre national de Bordeaux en Aquitaine, Compagnie Présence, Théâtre du Pont Tournant, Café-Théâtre des Beaux-Arts, La Boîte à Jouer, Salle Tatry, Casino Barrière).
♿ *« Agenda culturel »* p. 14.

Les quartiers

Sur la **place de la Victoire**, véritable place de la soif, une douzaine de bars et de cafés prodiguent en permanence concerts et soirées à thème.
Si vous recherchez une ambiance plus chaleureuse, dirigez-vous plutôt vers les bars des quartiers **St-Pierre** (bars à vin) et **St-Éloi**. **St-Michel**, au sud, est connu pour ses adresses populaires et alternatives.
Guidés par un instinct festif très sûr, de nombreux lucifuges viennent finir la nuit dans l'un des bars ou l'une des discothèques qui jalonnent le **quai Paludate**. Aux alentours de 3h du matin, c'est bien simple, l'endroit est tellement bondé qu'il faut jouer des coudes pour se frayer un passage !

Le Triangle

Le Grand Théâtre - Opéra National de Bordeaux – C5 - *Pl. de la Comédie - Tram B Grand-Théâtre - ☎ 05 56 00 85 95 - www.opera-bordeaux.com.* L'un des plus beaux théâtres de France. Bénéficiant d'une excellente acoustique, il est le lieu de représentation de nombreux concerts symphoniques, d'opéras et de ballets.

St-Pierre

L'Onyx – C5 - *11 r. Fernand-Philippart - Tram C Place-de-la-Bourse - ☎ 05 56 44 26 12 - www.theatreonyx.net - permanence : 19h-20h les soirs de spectacle ; oct.-mai : merc. 13h-18h, jeu.-vend. 9h30-12h, 13h-18h - fermé juil.- sept.* C'est le plus ancien café-théâtre de la ville et un lieu indispensable pour découvrir la culture « bordeluche ».

Calle Ocho – C5 - *24 r. des Piliers-de- Tutelle - Tram C Place-de-la-Bourse - ☎ 05 56 48 08 68 - lun.-sam. 17h-2h.* Couleurs chaudes, murs qui suintent et jeu de hanches au rythme de la salsa : ce bar cubain souvent bondé, l'un des premiers en France, n'a pas pris une ride ! *Mojito* de rigueur et cours de salsa le jeudi.

St-Michel / Victoire

Hérétic Club – C6 - *58 r. du Mirail - Tram B Victoire - www.hereticclub.com.* Dans une salle mythique tout en rouge et noir, underground dès sa naissance

Le Comptoir du Jazz.

34

et « hérétique » depuis 2006, rock gras et punk décoiffant cèdent la place, le samedi et occasionnellement en semaine, à des DJ's électro : techno, *house*, électronica…

Pey-Berland

Théâtre Fémina – C5 - *10 r. de Grassi - Tram B Gambetta - ℘ 05 56 52 45 19 - www.theatrefemina.fr.* Ce bel édifice accueille pièces de théâtre, comédies, opérettes, chorégraphies et concerts.
Le Fiacre – C5 - *42 r. de Cheverus - Tram A-B Hôtel de Ville - www.myspace. com/lefiacre.* Une salle en sous-sol pour le rock sous toutes ses coutures. Ici est apparu au public, pour la première fois, un certain groupe nommé… Noir Désir.

Les Chartrons

Théâtre « La Boîte à Jouer » – D2 - *50 r. Lombard - Tram B Les-Hangars - ℘ 05 56 50 37 37 - www.laboiteajouer. com - billetterie : merc.-sam. 20h ; spectacles 20h30 - fermé juil.-sept.* Ce théâtre compte deux salles de taille modeste où se produisent de petites compagnies régionales, nationales et même internationales, spécialisées dans le théâtre contemporain et musical. Possibilité de dîner sur place.
Base sous-marine – D1 - *Bd Alfred-Daney - www.bordeaux.fr et programmes gratuits* (Clubs et Concerts, Happen). Projections, expositions, soirées DJ : surveillez la programmation proposée dans cet incroyable vestige de la Seconde Guerre mondiale, colossale structure de béton à fleur d'eau. Les spectacles n'en sont que plus étourdissants.

St-Jean

Théâtre national de Bordeaux en Aquitaine (TnBA) – D6 - *Sq. Jean-Vauthier - Tram C Ste-Croix - ℘ 05 56 33 36 80 - www.tnba.org - billetterie : 13h-19h - fermé 14 juil.-25 août, dim., lun. et j. fériés.* Trois salles pour une programmation pluridisciplinaire : théâtre, cirque, danse, musique, etc. Pièces classiques et contemporaines et spectacles dédiés au jeune public avec le Théâtre des Enfants.
Rock School Barbey – D7 - *18 cours Barbey - Tram C Tauzia - ℘ 05 56 33 66 00 - www.rockschool-barbey.com.* Non contente, depuis 1988, de diffuser la musique, l'association Rock School l'enseigne dans ses murs (école) et la rend possible à de jeunes groupes prometteurs (location d'un studio d'enregistrement). Dans la grande salle, des concerts de rock, reggae, chanson française…
Le Comptoir du Jazz – E7 - *58 quai de Paludate - Tram C Gare-St-Jean - ℘ 05 56 49 15 55 - 19h-2h.* Enserré entre les turbulentes discothèques du quai de Paludate, l'un des meilleurs clubs de jazz de Bordeaux. Restaurant.

À proximité

BT59 – *R. Marc-Sangnier - 33130 Bègles - ℘ 09 79 16 98 71 - www.bt59.com.* Une salle excentrée qui ne désemplit pas : soirées hip hop, électro, dubstep…

Shopping

Longue de près de 2 km, la **rue Ste-Catherine** est bordée de commerces de tous types, grands magasins, boutiques de mode, restaurants, etc. Formant un angle entre cette rue et la rue de la Porte-Dijeaux, à quelques pas de la Comédie, le passage de la **Galerie-Bordelaise** permet de faire du lèche-vitrine dans un cadre architectural romantique. Autour du **Triangle** se concentrent les enseignes de luxe. Dans le quartier des Chartrons, la **rue Notre-Dame** (et rues adjacentes) est celle des antiquaires et des brocanteurs, tandis que la **rue du Faubourg-des-Arts**, dédiée aux métiers des arts, accueille de nombreux artisans et créateurs. La chambre de commerce et d'industrie met en ligne un guide de shopping : www.bordeaux-shopping.com. Vous trouverez à l'office de tourisme un espace boutique abritant des souvenirs à l'effigie de la ville et des cadeaux autour du vin.
Marchés traditionnels et bio p. 8.

Le Triangle

MODE

Michard Ardillier – **C5** - 10 r. Ste-Catherine - Tram B Grand-Théâtre - www.michardardillier.com - ☎ 05 56 81 86 92 - lun.-sam. 10h-19h. Le plus *trendy* des chausseurs bordelais : Gola, Spring Court, Camper, Ash, Seven Dice mais aussi les baskets équitables de Veja. Au fond de la boutique, tout en lignes pures, un concept store accueille des œuvres d'artistes contemporains.

GASTRONOMIE

Huîtres Brunet – **C4** - 11 r. de Condé - Tram B-C Quinconces - ☎ 05 56 81 66 60 - mar.-sam. 10h-12h30, 16h-20h30, dim. et j. fériés 9h-13h - fermé juil.-août. Depuis 25 ans, cet ostréiculteur amène des naissains à maturité dans le bassin d'Arcachon pour les vendre ensuite sur son petit étal bordelais. Chaque matin, un nouvel arrivage d'huîtres fraîches et charnues part donc de ses parcs pour prendre place sur ce comptoir. Si vous prenez soin de téléphoner auparavant, la maison peut ouvrir les huîtres pour vous.

Baillardran– **C4** - Galerie des Grands-Hommes - Tram B Grand-Théâtre - ☎ 05 56 79 05 89 - www.baillardran.com - lun.-sam. 8h30-19h30. Située dans le marché des Grands-Hommes, cette boutique confectionne de délicieux canelés : ces petits gâteaux bordelais à la robe brune, fine et caramélisée épousent la forme du moule en cuivre dans lequel ils sont cuits. Croquants à l'extérieur, ils sont moelleux à l'intérieur.

Chocolaterie Saunion – **C4** - 56 cours Georges-Clemenceau - Tram B Grand-Théâtre - ☎ 05 56 48 05 75 - www.saunion.com - lun. 14h-19h15, mar.-sam. 9h30-12h30, 13h30-19h15. C'est l'un des chocolatiers les plus réputés de Bordeaux : donc, à ne pas manquer.

Confiserie Cadiot-Badie – **C4** - 26 allées de Tourny - Tram B-C Quinconces - ☎ 05 56 44 24 22 - www.cadiotbadie.com - lun.-sam. 9h15-19h (lun. et sam. 10h). Vous serez sûrement charmé par le style rétro de cette belle boutique fondée en 1826. Truffes et bouchons bordelais confectionnés avec passion valent le détour.

Pierre Oteiza – **C4** - *77 r. Condillac - Tram B Grand-Théâtre -* ℘ *05 56 52 38 76 - www.pierreoteiza.com - mar.-sam. 10h-13h, 14h30-19h30.* De grandes saveurs dans une petite boutique : jambon des Aldudes, confit de porc noir, garbure béarnaise, txapa, chichons, piperade et autres splendeurs pyrénéennes basques.

Fromagerie Jean d'Alos – **C5** - *4 r. Montesquieu - Tram B Grand-Théâtre -* ℘ *05 56 44 29 66 - lun. 15h30-19h15, mar.-sam. 8h30-12h45, 15h30-19h15.* Rocamadour, Bonde de Gâtine, tomes au sauternes ou aux herbes par un maître-affineur qui fournit les plus grands restaurateurs de la ville : une référence.

St-Pierre

MODE

Matsai Mara – **C5** - *20 r. du Pas-St-Georges - Tram C Place-de-la-Bourse -* ℘ *05 56 81 35 61 - www.matsai-mara. com - mar.-sam. 12h-19h.* Vêtements en fibres biologiques (Les Fées de Bengale) ou issus du commerce équitable (Misericordia), accessoires et cosmétiques naturels (Doux me, Ren…) : dans sa jolie boutique éthique, Mathilde prouve qu'on peut être bio en restant belle !

DÉCO, DESIGN

Docks Design – **C5** - *4-7 quai de Richelieu - Tram A Place-du-Palais -* ℘ *05 56 44 54 62 - www.docks-design. com - mar.-sam. 10h30-12h30, 14h-19h.*

Associé aux éditeurs Kartell et Cinna, un espace lumineux pour les créateurs de design les plus en vue : Jasper Morisson, Pascal Mourgue, Ronan & Erwan Bouroullec, Starck…

Mostra – **C5** - *4 r. du Parlement-Ste-Catherine - Tram C Place-de-la-Bourse -* ℘ *05 56 51 01 03 - lun.-sam. 10h-19h.* L'une des premières boutiques de déco du quartier St-Pierre, qui, aujourd'hui, ne les compte plus. Tout pour la maison : petits meubles, luminaires, vaisselle et objets design, fantaisistes et colorés signés Alessi, Tsé Tsé, Guzzini, Kartell…

St-Michel / Victoire

MODE

Docks… Caviar – **C6** - *183 r. Ste-Catherine - Tram B Musée-d'Aquitaine -* ℘ *05 56 91 69 56 - lun.-sam. 10h30-19h30.* À l'angle du cours Victor-Hugo, une friperie installée sur deux étages : Levi's, Converse, Pepe Jeans, Ben Sherman et toute la mode des années 1970 à nos jours à petit prix.

DÉCO, DESIGN

Passage St-Michel – **D6** - *14-17 pl. Canteloup - Tram C St-Michel -* ℘ *05 56 92 14 76 - mar.-sam. 9h30-18h30, dim. 8h30-14h.* Ancien entrepôt reconverti en galerie de brocanteurs (49 marchands).

Pey-Berland

MODE

Axsum – **C5** - *24 r. de Grassi - Tram B Gambetta -* ℘ *05 56 01 18 69 - lun.-sam. 10h-19h.* Classe, créative, sans paillettes, la mode des femmes élégantes et branchées : Yohji Yamamoto, Martin

Le chausseur Michard Ardillier

Margiela, Rick Owens, Dries Van Noten, Isabel Marant, Ann Demeulemeester, Maria Calderara, A. F. Vandevorst…

DÉCO, DESIGN

CDesign – **C5** - 31 r. de Cheverus - Tram A-B Hôtel-de-Ville - ℘ 05 56 52 60 42 - lun. 14h30-19h, mar.-sam. 10h-13h, 14h-19h - www.blog-cdesignbordeaux.com. Luminaires, mobilier, accessoires : des petits objets déco aux meubles dessinés par de grands designers, cette boutique propose une large gamme de prix. Artek, B-Line, Casamania, Desalto, Lago, Artemide, Jieldé, Wall4Me…

Gambetta / Mériadeck

GASTRONOMIE

Darricau – **B5** - 7 pl. Gambetta - Tram B Gambetta - ℘ 05 56 44 21 49 - www. darricau.com - lun.-sam. 10h-19h. Depuis 1913, la maison régale les gourmands avec son Week-End à Bordeaux (spécialité), ses ganaches fondantes ou son chocolat pétillant.

LIVRES

Librairie Mollat – **C5** - 15 r. Vital-Carles - Tram B Gambetta - ℘ 05 56 56 40 40 - www.mollat.com - lun.-sam. 9h30-19h30. La première librairie indépendante de France demeure une véritable institution régionale.

Jardin public

MODE

Chocolatine Création – **C4** - 5 r. Lafaurie-de-Monbadon - ℘ 09 52 53 51 52 - www.chocolatinecreation.com -

mar.-sam. 10h-19h. Vêtements de créateurs et prêt-à-porter pour les enfants de 0 à 14 ans, dans cette boutique qui rend hommage à la fameuse viennoiserie, la chocolatine, ou « pain au chocolat » en bordeluche.

Les Chartrons

MODE

Quai des Marques – **C-D3** - Hangars 15-19, quai des Chartrons - Tram B Cours du Médoc - ℘ 05 57 87 30 08 - www. quaidesmarques.com - mar.-dim. 11h-19h (20h printemps-été). 32 magasins de marques à prix d'usine dans d'anciens hangars réhabilités.

DÉCO, DESIGN

Village Notre-Dame – **C3** - 61 r. Notre-Dame - Tram B CAPC - ℘ 05 56 52 66 13 - www.villagenotredame.com - lun.-sam. 10h-12h30, 14h-19h, dim. 15h-19h - fermé dim. mai-sept. Une trentaine d'antiquaires sous un même toit, pour des milliers de perles à chiner.

RKR Galerie – **C3** - 73 r. Notre-Dame - Tram B Chartrons - ℘ 05 56 79 35 73 - www.rkr-international.com - mar.-sam. 10h-13h, 14h-19h. Un îlot de modernité dans la rue des antiquaires : meubles et objets design mais aussi expositions d'art contemporain.

Bo Concept – **D3** - Hangar 16, quai des Chartrons - Tram B Cours-du-Médoc - ℘ 05 57 87 23 23 - www.boconcept-bordeaux.info - lun. 14h-19h30, mar.-dim. 10h-19h30. La célèbre enseigne de design a trouvé un écrin à sa hauteur dans ce grand hangar du Quai des Marques.

Découvrir le vin

Amateur de vin, vous souhaitez en savoir plus sur les vignobles et les crus du Bordelais à travers stages, dégustations, boutiques, bistrots à vins… La ville et ses environs proposent une large palette de bonnes adresses pour goûter, enrichir sa cave, améliorer ses connaissances sur le vin ou, le temps d'un séjour, s'improviser œnologue.

INFORMATIONS

Office de tourisme – *Coordonnées p. 6.*
Conseil interprofessionnel du vin de Bordeaux (CIVB) – C4 - *1 cours du 30-Juillet - Tram B-C Quinconces - ℘ 05 56 00 22 88 - www.vins-bordeaux.fr - lun.-vend. 9h-17h - fermé j. fériés.*
Maison du vin de Bordeaux – *1 cours du 30-Juillet - ℘ 05 56 00 22 66 - www.bordeaux.com*

Le Triangle

STAGES ET COURS

Office de tourisme – *Coordonnées p. 6. Circuits dans le vignoble et initiations à la dégustation du vin.*
École de vin du CIVB – C4 - *1 cours du 30-Juillet - Tram B-C Quinconces - ℘ 05 56 00 22 85 - http://ecole.vins-bordeaux.fr. Découverte des vins à travers des stages de 2h à 6 j., et des cours du soir.*
École du Bordeaux – C4 - *7 r. du Château-Trompette - Tram B-C Quinconces - ℘ 05 56 90 91 92 - www.bordeauxsaveurs.com. Initiation à la dégustation, découverte des appellations.*

BAR À VIN

Bar à vin du CIVB – C4 - *3 cours du 30-Juillet - Tram B-C Quinconces - ℘ 05 56 00 43 47 - www.bordeaux.com. p. 30.*

ACHATS

Si Bordeaux compte de nombreux cavistes, ses plus célèbres enseignes – et les mieux fournies – sont regroupées entre la place des Quinconces et le Triangle.
Badie Vins – C4 - *60-62 allées de Tourny - Tram B-C Quinconces - ℘ 05 56 52 23 72 - lun.-sam. 9h-19h15.*
L'Intendant – C3 - *2 allées de Tourny - Tram B Grand Théâtre - ℘ 05 56 48 01 29 - lun.-sam. 10h-19h30.*
La Vinothèque – C4 - *8 cours du 30-Juillet - Tram B-C Quinconces - ℘ 05 56 52 32 05 - http://lavinothequedebordeaux.com - lun.-sam. 10h-19h30.*

St-Pierre

BAR À VIN

Le Chabrot – C5 - *32 r. du Chai-des-Farines - Tram A Place-du-Palais. p. 32.*

ACHATS

Cousin et Compagnie – C5 - *2 r. du Pas-St-Georges - Tram C Place-de-la-Bourse - ℘ 05 56 01 20 23 - www.cousin.fr - 11h-13h, 16h-22h. Donnant sur la place du Parlement, ouvert tard, ce caviste propose des vins de tous horizons. Différentes formules de dégustation.*

Les Chartrons

VISITE
Musée du Vin et du Négoce de Bordeaux – *41 r. Borie - Tram B Chartrons.* ♿ *p. 74.*

St-Jean

STAGES ET COURS
Millesima – *E7 - 87 quai de Paludate - Tram C Gare-St-Jean -* ☎ *05 57 80 88 50 - www.millesima.fr - tte l'année sur RV.* Dans un chai du 19ᵉ s. abritant un stock de 2 millions de bouteilles, le plus important de Bordeaux, un œnologue raconte son métier, celui de négociant, et invite à découvrir les secrets de la dégustation.

À proximité

STAGES ET COURS
Faculté d'œnologie – *210 chemin de Leysotte - 33140 Villenave-d'Ornon -* ☎ *05 57 57 58 58 - www.oenologie.u-bordeaux2.fr.* Située à Villenave-d'Ornon, la section œnologie de l'Université Bordeaux-II propose différents stages d'initiation à la viticulture et à l'œnologie.

École du Goût du Vin – *10 allées de Ginouilhac - 33320 Le Taillan-Médoc -* ☎ *05 56 35 83 93 - www.quarin.com.* Assurés par Jean-Marc Quarin, des stages de 3 jours comprenant une initiation au vocabulaire du vin et à la dégustation (jour 1) et la visite de plusieurs châteaux, dans le St-Émilion et le Médoc (jours 2 et 3) permettant de comprendre les composantes des sols, les appellations, la vinification et l'élevage.

Sur la Route des vins

STAGES ET COURS
École du Château Maucaillou – *33480 Moulis-en-Médoc -* ☎ *05 56 58 01 23 - www.chateau-maucaillou.com.* Créée en 1990, l'École du vin du Château Maucaillou enseigne les techniques de dégustation au cours d'un stage de 3 jours.

VISITES
Planète Bordeaux (♿ *p. 87*)
La Winery (♿ *p. 84*)
Écomusée de la vigne et du vin (♿ *p. 84*).

VINOTHÉRAPIE
On peut désormais prendre soin de son corps grâce au raisin ! L'eau minérale riche en fer et en fluor associée à l'extrait de raisin, à l'huile de pépins de raisin, à la levure de vin, aux extraits de vigne rouge ou encore aux tanins possède des vertus hydratantes et raffermissantes.

Les sources de Caudalie – *Chemin de Smith Haut Lafitte - 33650 Bordeaux-Martillac -* ☎ *05 57 83 83 83 - www.sources-caudalie.com.*

Visiter Bordeaux

45

Bordeaux aujourd'hui

De l'ancienne capitale royale, elle a l'élégance, la noblesse et la pierre de taille. De la première ville des Flandres, elle partage l'esprit, le sens du commerce et l'appel de l'horizon. De Victor Hugo enfin, elle garde en mémoire cette phrase restée célèbre : « Prenez Versailles et mêlez-y Anvers, vous aurez Bordeaux. »

Si le regard du Romantique n'a pas pris une ride, l'image de la cité a bel et bien souffert des clichés. Bordeaux ville « froide », paralysée par le conformisme de sa bourgeoisie, a donc décidé de sortir de sa torpeur. Et prouver, par là-même, qu'elle ne s'y était jamais véritablement engouffrée.

Avec le concours d'architectes, de politiques et d'urbanistes, avec l'effort de ses habitants, la 7ᵉ agglomération de France, qui n'est plus la « belle endormie » d'hier, a fait sa **révolution**.

Une ville en mutation

Après de longues années de délibération, le **tramway** fut choisi, aux dépens du métro, pour désengorger les artères encombrées du centre-ville, tandis qu'on démantelait devant la Garonne les hangars vieillissants des quais : une **promenade** plantée d'arbres allait rendre leur **fleuve** aux Bordelais.

Aujourd'hui, le tram circule le long de rues nettoyées de la circulation automobile, entre des **façades** ravalées et enfin révélées : pilastres, frontons et mascarons renvoient l'éclat de la ville lumineuse du 18ᵉ s., désormais classée à l'Unesco.

À **St-Pierre**, on a repris possession des rues, bordées de boutiques de mode, de cantines gastronomiques et de bistrots à vin. Bons voisins, les fashionistas de la rue du Pas-St-Georges y croisent les militants du cinéma Utopia, et les kids hyper-lookés investissent après 22h la place Fernand-Lafargue, nouveau QG nocturne. Plus au sud, **St-Michel**, resté populaire, attire chaque samedi une foule de badauds dans les allées de son marché coloré, véritable institution. À l'ombre de la flèche St-Michel, les étals se succèdent jusqu'aux Capucins, l'ancien « ventre » de Bordeaux, entre la place Pierre-Renaudel qui accueille les étudiants des Beaux-Arts, et la **Victoire**, haut-lieu de la nuit bordelaise. Ici aussi la place a fait peau neuve : finis les concerts de klaxons, elle laisse filer le tram métallisé et silencieux. Derrière la porte d'Aquitaine s'y étire l'une des plus longues artères piétonnes d'Europe, la rue Ste-Catherine, réaménagée par Jean-Michel Wilmotte. À côté s'ouvre le cours Pasteur, menant au cœur administratif de la ville.

Dominée par la cathédrale St-André, plaquée de dalles de marbre et vidée de tous véhicules, la place **Pey-Berland** s'entoure des grands musées de Bordeaux : Beaux-Arts, Arts décoratifs et musée d'Aquitaine. Discret, le centre Jean-Moulin rappelle l'amitié qui liait le chef de file de la Résistance à l'ancien maire de Bordeaux, Jacques

Chaban-Delmas. Passé le tribunal de grande instance, ovni architectural dû à Richard Rogers, s'étend le quartier d'affaires **Mériadeck**, que côtoie la place Gambetta, l'un des trois points du **Triangle**. Nommé d'après trois artères rectilignes, ce dernier est l'âme du Bordeaux des grands intendants, et son quartier le plus cossu : enseignes de luxe, cavistes haut de gamme et salons de thé à mondanités. Face au Grand Théâtre a ouvert le nouveau palace de la ville, The Regent Grand Hôtel. Au nord, derrière la colonne des Girondins, le quai des **Chartrons** réapprend à vivre sans ses négociants. Antiquaires, restaurateurs et autres entrepreneurs malins, qui avaient anticipé la renaissance du quartier, ont investi leurs anciens chais, nettoyé la suie et habillé la pierre de mobilier contemporain, redonnant vie au plus célèbre des quais bordelais. Face à lui court une promenade verdoyante de 4,5 km, entre Bacalan et **St-Jean** : aux beaux jours, piétons et cyclistes y retrouvent leur fleuve. Certains, après une halte au miroir d'eau, gagnent la **Bastide**, sur l'autre rive, non moins métamorphosée par le programme de réhabilitation de la ville : aménagement des berges et d'un jardin botanique, installation d'une annexe universitaire, ouverture de restaurants les pieds dans l'eau.

Au delà, Bordeaux n'est plus Bordeaux mais son agglomération : à l'est, elle s'accroche aux **vignes**, et, à l'ouest, aux **pins maritimes** plantés dans le sable gascon et médocain. Ceux-là mêmes qui lui faisaient de l'ombre autrefois, aujourd'hui continuent de le nourrir.

Les gens d'ici

Longtemps réputés hautains et difficiles d'accès, quoique épicuriens avec les-leurs, les Bordelais, comme leur ville, ont pâti de leur résignation : seule la classe bourgeoise, ici, se préoccupait de **communication**. Les autres, voyant l'inertie des pouvoirs publics, furent gagnés par un autodénigrement mêlé de fierté nécessaire : ses habitants surnommèrent Bordeaux « la Venise ratée ».

La léthargie, pourtant, n'a pas desservi la ville. Donnant aux Bordelais de l'ennui et du temps, ceux-ci durent user d'imagination. Dans les caves voûtées de sous-sols, où l'on stockait jadis le vin, on milita, on dansa, on chanta, on démontra son désir d'exister : sans que personne ne s'en aperçoive, Bordeaux, par exemple, devint la première ville rock de France.

La réserve légendaire des Bordelais, s'estompant aujourd'hui, n'est donc pas à mettre sur le compte de la condescendance, mais d'une réticence à l'étalage, à l'emphase. L'iode, les embruns de l'océan ont, on le sait, un effet régulateur. Les pieds en terre latine, leur caractère est, depuis Aliénor d'Aquitaine, motivé par le flegme britannique.

« Les Girondins précipitent la chute du roi, écrivit Pierre Veilletet, mais certains ne votent pas sa mort et s'opposent à l'appétit saturnien des Montagnards. C'est le fameux réflexe modérateur qu'on prête, à juste titre, aux gens d'ici. »

Le Triangle★★

Rendus aux piétons, prisés des touristes et de la haute société bordelaise qui fréquentent leurs boutiques et cafés chic, le cours de l'Intendance et la place de la Comédie ont redonné son lustre au quartier le plus emblématique de la ville, héritage du Siècle des lumières. Sur les fondations de la cité médiévale, les intendants Boucher et Tourny aménagèrent au 18e s. de larges artères rectilignes formant un triangle flanqué de somptueuses façades et d'ensembles grandioses : les allées de Tourny, l'îlot Louis et bien sûr le Grand Théâtre, édifice emblème de la ville. Non loin, Tourny dessina les allées bordant l'esplanade des Quinconces et sa monumentale colonne, sur la plus vaste place de France.

➜**Accès :** le Triangle est délimité par le cours de l'Intendance, le cours Clemenceau et les allées de Tourny. Tram B Grand-Théâtre ou Gambetta ; tram B-C Quinconces. Plan de quartier D1 p. 50-51. Plan détachable C 4-5.

➜**Conseils :** c'est dans le Triangle que se trouvent les offices du tourisme de Bordeaux et de la Gironde (🕭 *p. 6*). Passez vous y documenter. Pensez également à réserver à l'avance votre visite du Grand Théâtre.

Place de la Comédie

D1 *(plan p. 50)*.
Elle délimite, avec les places Tourny et Gambetta, le cœur des plus beaux quartiers de Bordeaux. La restauration du Regent Grand Hôtel Bordeaux (🕭 *Nos adresses/Se loger)* a achevé de lui redonner tout son cachet. À l'est, entre la place de la Comédie, la Garonne, le cours du Chapeau-Rouge et la rue Esprit-des-Lois, l'**îlot Louis**, ensemble d'immeuble construits pour les mécènes du Grand Théâtre, constitue la quintessence de l'architecture classique bordelaise.

Grand Théâtre★★

D1 *(plan p. 50)*. Pl. de la Comédie - 📞 05 56 00 66 00 - www.opera-bordeaux. com - *visites guidées sur réserv. à l'office de tourisme, juil.-août : 15h, 15h30 et 16h ;*

reste de l'année : varie selon le planning des répétitions, renseignez-vous auprès de l'OT - 9,50 € : forfait visite + exposition sur les métiers du théâtre ; 5 € : exposition sans la visite.
Construit par l'architecte **Victor Louis** de 1773 à 1780 sur les vestiges d'un temple gallo-romain que Louis XVI ordonna de détruire, il compte parmi les plus beaux théâtres de France et symbolise richesse architecturale et culture. Récemment restauré, il se distingue par son péristyle à l'antique surmonté d'une balustrade ornée des neuf Muses et des trois Grâces.
Le plafond à caissons du **vestibule** repose sur 16 colonnes. À l'arrière s'ouvre un bel escalier droit, puis à double volée, dominé par une coupole (disposition imitée par Garnier pour l'Opéra de Paris).

La fontaine des Girondins.

La **salle de spectacle**, parée de lambris et de 12 colonnes dorées à l'or fin, témoigne d'une harmonieuse géométrie et d'une acoustique parfaite. Du plafond, peint en 1917 par Roganeau sur le modèle des fresques primitives de Claude Robin, se détache un lustre scintillant de 14 000 cristaux de Bohême.

Cours de l'Intendance

D1 *(plan p. 50)*.
Ici alternent les commerces de luxe et des enseignes à la mode. S'y trouve également la **Maison du tourisme de la Gironde** (♿ *p. 6*). Des abords du n° 57 (maison de Goya, qui y mourut en 1828, aujourd'hui centre culturel espagnol), bel aperçu sur les tours de la cathédrale St-André, dans l'échancrure de la rue Vital-Carles.

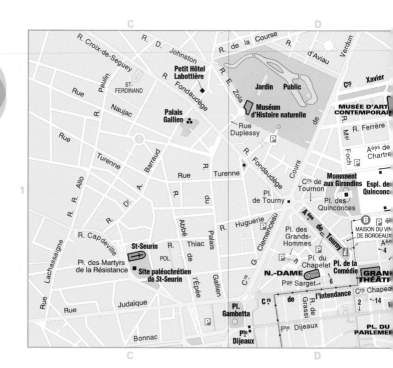

Marché des Grands-Hommes

D1 *(plan p. 50).*
Cette belle rotonde de verre et de métal, qui abrite un centre commercial, marque le centre du Triangle. De la place éponyme qui l'abrite rayonnent six rues aux noms de « grands hommes » : Voltaire, Montesquieu, Buffon, Rousseau, Montaigne et Diderot.

Église Notre-Dame★

D1 *(plan p. 50).*
R. Mably - Visite guidée lun.-vend. 14h30-17h et 1er dim. du mois 15h-17h.
La façade de l'église Notre-Dame, de style jésuite-baroque, donne un air très romain à la place du Chapelet. Ancienne chapelle des Dominicains, elle fut édifiée entre 1684 et 1707. Le portail central est surmonté d'un bas-relief

LE TRIANGLE JARDIN PUBLIC

illustrant l'apparition de la Vierge à saint Dominique : elle lui remet le chapelet qui a donné son nom à ladite place. L'**intérieur** frappe par la pureté du travail de la pierre : voûte en berceau de la nef percée par les lunettes des fenêtres hautes, voûtes d'arêtes des collatéraux, tribune d'orgues prolongée sur les côtés par deux balcons arrondis aux courbes harmonieuses. La décoration de ferronnerie contribue également à la noblesse de l'ensemble ; remarquez en particulier les portes qui ferment les deux côtés du chœur. Pénétrez dans le **cloître** du 17e s., appelé cour Mably, et accolé au mur latéral droit de l'église. La magnifique salle capitulaire, à droite en entrant, sert de salle d'exposition.

Esplanade des Quinconces

D1 *(plan p. 50)*.
Son intérêt réside avant tout dans sa superficie (126 000 m^2). Elle a été aménagée, pendant la Restauration, sur l'emplacement du château Trompette qui avait été bâti après la guerre de Cent Ans par Charles VII et agrandi par Louis XIV. On agrémenta alors l'esplanade d'une série d'arbres disposés en quinconce, d'où son nom.
Vous saluerez au passage deux grandes figures de Bordeaux : **Montaigne**, qui fut maire de la ville à deux reprises, et **Montesquieu**, qui résidait au château de la Brède et était membre du parlement de Bordeaux (statues datant de 1858). Face au fleuve se dressent deux colonnes rostrales.
Pendant longtemps parc de stationnement, l'esplanade, embellie à l'occasion du chantier du tramway, est célèbre pour son **monument aux Girondins**. Monument allégorique érigé entre 1894 et 1902 à la mémoire des Girondins décapités en 1792, il forme un ensemble sculptural étonnant. En haut d'une colonne de 50 m de haut, la *Liberté brisant ses fers* surmonte deux remarquables **fontaines★** en bronze : des chevaux marins toute crinière au vent, cabrés et levant haut leurs sabots palmés, y tirent les chars du *Triomphe de la République* (côté Grand Théâtre) et celui du *Triomphe de la Concorde* (côté jardin public). À terre, côté Grand Théâtre, les trois personnages tragiques ne représentent pas les Girondins, mais le Vice, l'Ignorance et le Mensonge.

LES GIRONDINS
Pendant la Révolution, les députés de Bordeaux – dont le plus célèbre est **Vergniaud** *– créent le parti des Girondins qui aura la majorité à la Législative et au début de la Convention. Comme ils sont de tendance fédéraliste, les Montagnards les accusent de conspirer contre l'unité et l'indivisibilité de la République ; 22 d'entre eux sont mis en accusation, condamnés à mort et exécutés.*

52

Saint-Pierre★★

S'il ne subsiste de l'enceinte médiévale que la porte Cailhau et la « Grosse Cloche », Saint-Pierre, construit autour du castrum gallo-romain, a conservé son charme d'antan : ruelles pavées et tortueuses, placettes ombragées et façades ocre du 18ᵉ s. en font l'un des quartiers les plus séduisants de la ville. Avec ses bistrots à vin, ses restaurants par dizaines et ses boutiques branchées, c'est aussi l'un des plus animés du Vieux Bordeaux.

➜**Accès :** St-Pierre est inclus entre le cours du Chapeau-Rouge, le cours Alsace-Lorraine, la rue Ste-Catherine et la Garonne. St-Éloi, au sud, le prolonge jusqu'au cours Victor-Hugo. Tram C Place de la Bourse, Porte de Bourgogne ; tram B Grand Théâtre ; tram A Ste-Catherine, Place du Palais, Porte de Bourgogne. Plan de quartier D-E 1-2 p. 58-59. Plan détachable C5.

➜**Conseil :** St-Pierre se visite deux fois : le jour, partez découvrir ses richesses architecturales ; le soir, revenez déguster les crus du Bordelais dans ses chaleureux bars à vins !

Place de la Bourse★★

E1 *(plan p. 59).*
Cette jolie place en fer à cheval fut aménagée de 1730 à 1755, d'après les plans des architectes Gabriel père et fils. Elle est cantonnée par deux édifices caractérisés aux étages par des colonnes portant des frontons triangulaires : au nord le palais de la Bourse et au sud l'ancien hôtel des Fermes, qui abrite le **musée national des Douanes**. La **fontaine des Trois-Grâces** (1860) orne le milieu de la place.
En face, côté fleuve, le **miroir d'eau**★ et sa dalle de granit, imaginé par **Michel Courajoud**, reflète l'élégante façade 18ᵉ s. grâce à un système original de fontaines alternant effet miroir (avec 2 cm d'eau) et effet brouillard. Petits et grands se sont approprié le lieu : on s'y rafraîchit, se photographie pieds nus… Une animation permanente incontournable !

Musée national des Douanes

E1 *(plan p. 59).* 1 pl. de la Bourse - ☏ 05 56 48 82 82 - www.musee-douanes. fr - ⌖ - tlj sf lun. 10h-18h - fermé 1ᵉʳ janv. et 25 déc. - 3 € (-18 ans 1,50 €), gratuit 1ᵉʳ dim. du mois.
C'est dans une grande salle aux belles voûtes restaurées de l'**hôtel des Fermes** qu'est retracée l'histoire des douanes en France. À droite, présentation chronologique avec gravures, archives, matériel, dont la balance de l'hôtel des Fermes (1783). À côté du guichet, remarquez le portrait de saint Matthieu, patron des douaniers. Il exerçait les fonctions de publicain (collecteur d'impôts et douanier) lorsque Jésus fit sa rencontre. À gauche, la douane est présentée suivant plusieurs thèmes : la douane armée (uniformes, armes), la vie de la brigade et la vie des

bureaux, les activités douanières (saisies de drogues ou de contrefaçons) et, pour clore la visite, l'ordinateur, nouvel allié du douanier qui a avantageusement supplanté l'arithmomètre !

Place du Parlement★

D1 *(plan p. 58)*. Anciennement place du Marché-Royal, elle présente un harmonieux quadrilatère d'immeubles Louis XV, ordonnés autour d'une cour centrale au pavage ancien, remis en valeur. Au centre, fontaine du Second Empire.

Place Camille-Jullian

D2 *(plan p. 58)*. L'historien de Bordeaux **Camille Jullian** (1859-1933) a donné son nom à cette place bordée de cafés-restaurants. Par mauvais temps, offrez-vous une séance au cinéma Utopia : aménagé dans l'ancienne église St-Siméon (15e-16e s.), ses salles ont conservé des statues d'origine. Un café y prend également place (🍷 *Nos adresses/Prendre un verre*).

Square Vinet

E1 *(plan p. 59)*. R. Vinet.
S'y élève le plus long **mur végétal** du monde, réalisé par le paysagiste Michel Desvignes, dans le sillon du botaniste Patrick Blanc à qui l'on doit, entre autres, le mur végétal du musée Branly à Paris.

Place Saint-Pierre

E1 *(plan p. 59)*. Occupant l'ancien port romain, cette placette charmante est illuminée par son église des 14e et 15e s. (très remaniée au 19e s.).

Rue des Argentiers

E 1-2 *(plan p. 59)*. Au no 14, remarquez la **maison dite de l'Angelot**, construite vers 1750, qui présente un beau décor sculpté (haut-relief avec un enfant et des agrafes rocaille). Un peu plus loin : Bordeaux monumental.

Bordeaux monumental

E2 *(plan p. 59)*. 28 r. des Argentiers - ✆ 05 56 48 04 24 - ♿ - juil.-août : 9h30-13h, 14h-19h, dim. et j. fériés 10h-13h, 14h-18h ; mai-juin et sept.-oct. : 9h30-13h (10h dim. et j. fériés), 14h-18h ; nov.-avr. : 10h-13h (fermé dim. et j. fériés), 14h-18h - fermé 1er janv. et 25 déc. - gratuit.
Le rez-de-chaussée de ce bâtiment du 18e s. abrite une exposition (vitrine permanente du patrimoine), qui retrace les grandes étapes du développement de la ville. Plus d'une centaine de monuments sont présentés, donnant un aperçu de sa richesse architecturale. Cette remontée dans le temps (de la ville actuelle à la ville gallo-romaine) est une invitation à partir à la découverte de Bordeaux selon ses centres d'intérêt. Plan lumineux et vidéos complètent le dispositif multimédia (une borne interactive permet de consulter des fiches thématiques et d'imprimer l'itinéraire de son choix).

Place du Palais

E2 *(plan p. 59)*. Elle doit son nom au palais de l'Ombrière, qui fut érigé au 10e s. par les ducs de Guyenne. Reconstruit au 13e s., il devint le séjour des rois d'Angleterre, ducs d'Aquitaine,

La porte de la Grosse Cloche.

puis en 1462, sous Louis XI, le siège du parlement de Bordeaux avant d'être démoli en 1800 pour ouvrir la rue du Palais.

Porte Cailhau

E2 *(plan p. 59)*. Cet arc de triomphe dédié à Charles VIII date de 1495. Il juxtapose les éléments défensifs et décoratifs (toits coniques, mâchicoulis, lucarnes et fenêtres surmontées d'arcs en accolade), à tel point qu'il prend des airs de décor de théâtre. Son nom viendrait soit des Cailhau, vieille famille bordelaise, soit des cailloux accumulés à ses pieds par la Garonne et qui servaient à lester les navires. À l'intérieur, une **exposition** (℘ 05 56 00 66 00 - juil.-août : 14h-19h - 3 €) retrace l'histoire de cette porte. Au dernier niveau, sous les combles, vue insolite sur les quais et le pont de Pierre, terminé en 1822.

Rue de la Rousselle

E2 *(plan p. 59)*. Dans cette rue s'alignent les anciennes boutiques de marchands de vins, de grains ou de salaisons, caractérisées par un rez-de-chaussée en hauteur, surmonté d'un entresol bas de plafond. Au n° 25 se trouve la **maison de Montaigne**.

Rue Neuve

E2 *(plan p. 59)*. Elle conserve, du 14ᵉ s., un mur percé de deux fenêtres géminées à remplage. Après le porche, à droite, s'élève la **maison de Jeanne de Lartigue**, épouse de Montesquieu, aux arcades surmontées de bustes.

Église Saint-Paul-les-Dominicains

D2 *(plan p. 58)*. 20 r. des Ayres - ℘ 05 57 85 59 59 - www.dominicains-bx.com. Construite au 17ᵉ s. pour les jésuites sur le site d'une ancienne maison professe, elle abrite un riche mobilier baroque dont un retable représentant *L'Exaltation de St-François-Xavier*. Remarquez, en levant la tête, son superbe lustre contemporain, l'*Astre de St-Paul*, une œuvre monumentale réalisée par Jean-François Buisson en 2007.

Porte de la Grosse Cloche★

E2 *(plan p. 59)*. R. St-James. Les Bordelais sont très attachés à leur « Grosse Cloche », rescapée de la démolition d'un beffroi du 15ᵉ s. Autrefois, quand le roi voulait punir Bordeaux, il faisait enlever la cloche et les horloges.

Rue Sainte-Catherine

D 1-2 *(plan p. 58)*. Cette très longue rue piétonne, qui suit le tracé d'une ancienne voie romaine, est la plus commerçante de la ville. En la remontant, remarquez certaines maisons au rez-de-chaussée sous arcades et au 1ᵉʳ étage percé de larges baies en arc de cercle. À l'angle avec la rue de la Porte-Dijeaux s'ouvre la **Galerie-Bordelaise**, passage couvert édifié par Gabriel-Joseph Durand en 1833, qui débouche sur le Grand Théâtre.

Saint-Michel / Victoire

Il fut un temps où les eaux de la Garonne venaient lécher les fondations de la basilique St-Michel, surplombant un quai chargé de navires, et où, depuis les premiers jours de Burdigala, on perpétuait le commerce maritime avec ses voisins : St-Michel, déjà, savait qu'il deviendrait le quartier cosmopolite de Bordeaux. Au 19e s., Espagnols, Portugais et Maghrébins lui donnèrent ses couleurs actuelles. Avec son marché, ses restaurants épicés et ses troquets chaleureux, parfois bohème, il est aujourd'hui l'un des plus vivants du port de la Lune. Non loin, la place de la Victoire, nettoyée de la circulation automobile, demeure le fief des bars étudiants.

➜**Accès :** Tram C Porte-de-Bourgogne, Saint-Michel, Sainte-Croix ; tram B Victoire. Plan de quartier D-E-F 2-3 p. 58-59. Plan détachable C-D 6.
➜**Conseils :** ne manquez pas la vue depuis le sommet de la flèche St-Michel, ni le marché, très animé, du samedi matin.

Porte de Bourgogne

E2 *(plan p. 59).* C'est pour le duc de Bourgogne que fut érigée en 1755 cette austère et monumentale porte, parfois surnommée **porte des Salinières** par les Bordelais en hommage aux ouvriers du sel qui habitaient le quartier.

Basilique Saint-Michel★

E2 *(plan p. 59). Pl. Canteloup - ☎ 05 56 80 33 37 ou 06 75 33 78 87 - lun. 9h30-18h, mar., jeu., dim. 14h-18h, sam. 9h-18h - possibilité de visite guidée.*
La construction de la basilique, commencée en 1350, se poursuivit durant deux siècles, au cours desquels elle subit nombre de remaniements comme l'édification des chapelles latérales qui ne débuta qu'à partir de 1475. L'ensemble s'impose par l'ampleur des dimensions. Dans la première chapelle du bas-côté droit, statue de sainte Ursule abritant mille vierges sous son manteau. Les vitraux modernes, derrière le maître-autel, sont dus à Max Ingrand. Le croisillon gauche offre un portail à voussures moulurées qui abrite un tympan orné, à gauche, de la scène du péché originel et, à droite, de celle d'Adam et Ève chassés du paradis. Tribune d'orgues et chaire datent du 18e s. ; la chaire, faite d'acajou et de panneaux de marbre, est surmontée d'une statue de saint Michel terrassant le dragon. La basilique est classée au Patrimoine mondial de l'Unesco.

Flèche Saint-Michel

E2 *(plan p. 59). Pl. Canteloup - ☎ 05 56 00 66 00 - juin-sept. : 9h -19h - fermé le reste de l'année - 3 €.*
C'est le clocher (fin 15e s.) isolé de la basilique St-Michel. Les Bordelais en sont fiers car c'est le plus haut du Midi. Avec ses 114,60 m (cathédrale de Strasbourg 142 m), il laisse loin derrière lui les 50 m de la tour Pey-Berland.

Pge Sarget

Crs Chape

C rs de l'Intendance

2 ~14

R. de Grassi

PL. DU
PARLEME

Pte Dijeaux

Judaïque

Rue

Rue

La

Rue de l'Épée

Gallien

Cro

Pl.
Gambetta

VIEUX
BORDEAUX

Rue

Bonnac

R. du Château-d'Eau

pte
Dijeaux

V.

R. des Remparts

Carles R.

Centre
Jean Moulin

3 Conils

Pl.
Jul

Pl. St-Projet

Ste-

R. Dr Nancel-Pénard

PEY
BERLAND

G.

Rue

R.   C.

Bonnier

MUSÉE
DES ARTS
DÉCORATIFS

M

Palais
Rohan

CATH. ST-ANDRÉ

MÉRIADECK

MUSÉE DES
BEAUX-ARTS

H

TOUR PEY
BERLAND

Saint-Bruno

HÔTEL
DU DÉPT

P

d' Alsace

Crs

R. Duffour
Dubergier

ST-PAUL

Hôtel
de Région

Esplanade
Ch. de Gaulle
P

Tribunal de
Grande Instance

R. Mal Joffre

U

MUSÉE
D'AQUITAINE

PALAIS
DES
SPORTS

Cimetière
de la Chartreuse

Rue d'Albret

J

ÉCOLE NATLE
DE LA
MAGISTRATURE

Lande

P

POL.

Mal

Rue Juin

Rue

Crs François

Rue

Crs

de

Pl. de la
République

R. J. Burguet

R. de Cursol

P

STE-EULALIE

P.

L.

Crs

Pasteur

Catherine

de

la

Libération

Crs

R.   Pl. de
Pressensé

A.

Porte
d'Aquita

Mouneyra

Belleville

Tondu

R. L

Belfort

Mle

R. Ed.
Costedoat

R. Villedieu

Briand

P

Rue

ST-VICTOR

de

Sourdis

du

R. F. Audeguil

de

Pessac

R.

de

Lamourous

St-Genès

Mazarin

Leberthon

l' Argonne

Pl. de la
Victoire

Rue

Rue

R.

P. Duhen

Rue

R.

Cadroin

R.

de

R. St-Nicolas

ST-NICOLAS

C

Rue

N.-D.
DES ANGES

des

Treulis

Rue

R. A. Baysselance

B

R. G. Rioux

Barrière
de Pessac

C.

C

D

58

ST-PIERRE
ST-MICHEL
PEY-BERLAND
MÉRIADECK

0   300 m

N

59

Abbatiale Sainte-Croix

F3 *(plan p. 59). Pl. Pierre-Renaudel -*
📞 *05 56 94 30 50 - lun. 14h30-17h30, jeu.*
10h-12h - visite guidée 1er sam. du mois
15h et 1er dim. du mois 11h.
Des 12e et 13e s. et fortement restaurée
au 19e s. La **façade**★ est de style roman
saintongeais ; la tour de gauche est
moderne. Les voussures des fenêtres
aveugles qui encadrent le portail central
sont décorées de curieuses sculptures
représentant l'Avarice et la Luxure.

Place de la Victoire

D3 *(plan p. 58).* Rendant hommage au
vin, un obélisque de marbre rouge et
deux tortues aux carapaces figurant des
grappes de raisin (2005) occupent le
centre de cette place bordée de bars :
fief des étudiants, la bière y coule à
flots le week-end. À l'est, remarquez
l'imposante façade IIIe République de
l'Université Bordeaux-II Victor Segalen
(médecine, pharmacie, sciences
humaines et sociales). Au nord : la porte
d'Aquitaine.

Porte d'Aquitaine

D3 *(plan p. 58).* Piqué de manière un peu
anachronique au milieu de la place de la
Victoire, cet imposant **arc de triomphe**
élevé au 18e s. arbore un fronton
triangulaire aux armes royales ainsi qu'à
celles de la ville.

Bourse du Travail

D2 *(plan p. 58).* Construite par l'architecte
Jacques d'Welles et inaugurée en 1938,
elle arbore un splendide décor de bas-
reliefs et de fresques Art déco figurant
Bordeaux, les arts, le travail et la paix.

LE BORDELUCHE

*Issu du gascon, le bordeluche fut longtemps le parler des quartiers populaires
de Bordeaux. Sur le marché des Capucins, au contact des « étrangers » venus du
Périgord, de l'Agenais, du Médoc, de la Chalosse et même d'Espagne, il s'est enrichi
d'expressions truculentes et imagées. C'est un parler vrai et affectif qui, aujourd'hui,
réapparaît sur les places et les marchés de Bordeaux.*
*Loin des conventions, le bordeluche est fait de mots simples, évoquant la vie
de tous les jours : une **mounaque**, c'est une poupée et par extension une
femme quelconque ; **grigoner** signifie nettoyer, **se harter** se goinfrer ; une
escarougnasse est une égratinure ; être **dromillous**, c'est être mal réveillé,
attardé ; une **bernique** est une femme maniaque du ménage et de la propreté, un
sangougnas un homme sans goût ; celui qui est **quintous** est coléreux ; s'il est
pignassous, c'est qu'il est fâché ; enfin, avoir les **monges**, c'est avoir peur.*

La place de la Victoire avec la porte d'Aquitaine.

Pey-Berland★★

Trois des quatre grands musées bordelais y trouvent refuge : le quartier Pey-Berland demeure l'un des principaux centres culturels de la cité. Avec l'hôtel de ville et le tribunal de grande instance, côtoyé par l'École nationale de la magistrature, c'est aussi son centre administratif et judiciaire. À l'ombre de la cathédrale St-André, joyau gothique, il déploie, autour de la vaste esplanade de granit – la place Pey-Berland –, d'agréables rues piétonnes et commerçantes.

➜**Accès :** Tram B Hôtel de Ville ou Musée d'Aquitaine ; tram A Hôtel de Ville ou Palais de Justice. Plan de quartier D 1-2 p. 58-59. Plan détachable B-C 5-6.

➜**Conseils :** impossible de visiter tous les musées du quartier Pey-Berland en une journée ; il vous faudra faire un choix, ou prévoir plusieurs jours. Pensez en outre à réserver votre visite de l'hôtel de ville à l'avance.

Cathédrale Saint-André★

D2 *(plan p. 58).* Pl. Pey-Berland - ℘ 05 56 52 68 10 - juil.-août : 10h-12h, 14h-19h30 ; reste de l'année : lun. 14h-19h30, mar.-dim. 10h-12h, 14h-18h - fermé lun. mat. - visite guidée gratuite sam. et 1ᵉʳ dim. du mois : 14h30 -17h30 - concert d'orgues gratuit mar. en juil.-août à 18h30.

C'est le plus majestueux des édifices religieux de Bordeaux. La nef a été élevée aux 11ᵉ-12ᵉ s. et modifiée aux 13ᵉ et 15ᵉ s. ; le chœur, de style gothique rayonnant, et le transept actuel furent reconstruits aux 14ᵉ et 15ᵉ s. Plus tard, la voûte de la nef menaçant de s'écrouler, on ajouta les importants contreforts et arcs-boutants qui la flanquent irrégulièrement.

Aborder la cathédrale par la façade nord et la contourner par la droite.

Le **portail royal**, du 13ᵉ s., est célèbre pour ses sculptures inspirées de la statuaire de l'Île-de-France. Remarquables sont les dix apôtres qui ornent les ébrasements, et le tympan gothique représentant le Jugement dernier. Le **portail nord** (porche de bois) date quant à lui du 14ᵉ s. Ses sculptures illustrent l'Ascension. Le **chevet** se distingue par l'harmonie de ses proportions et par son élévation. Remarquez, dans les contreforts séparant la chapelle axiale de la chapelle de gauche, Thomas, patron des architectes, tenant une équerre et Marie Madeleine, avec son vase de parfum. Enfin, allez jusqu'au **portail sud** : ce dernier est surmonté d'un fronton percé d'un oculus et de trois rosaces. L'étage supérieur, orné d'arcades trilobées, est dominé par une élégante rose.

À l'intérieur de l'édifice, la nef forme un beau vaisseau dont les parties hautes, de la fin du gothique, prennent appui sur des bases du 12ᵉ s. L'opulente chaire, en acajou et marbre de différentes couleurs, est du 18ᵉ s. Le **chœur★** gothique est plus élevé que la nef. Son élévation est accentuée par la forme élancée des grandes arcades surmontées d'un triforium aveugle, éclairé par les fenêtres hautes flamboyantes. Il est entouré d'un déambulatoire sur lequel ouvrent des chapelles.

Contourner le déambulatoire par la droite.
Contre le 4e pilier à droite du chœur, jolie sculpture du début du 16e s. figurant sainte Anne et la Vierge. La chapelle axiale renferme des stalles du 17e s. Revenez vers la façade ouest, au revers de laquelle s'élève la tribune d'**orgues Renaissance** surmontant deux bas-reliefs.

Tour Pey-Berland★

D2 *(plan p. 58). Pl. Pey-Berland -*
☎ 05 56 81 26 25 - www.monuments-nationaux.fr - juin-sept. : 10h-13h15, 14h-18h ; oct.-mai : tlj sf lun. 10h-12h30, 14h-17h30 - fermé 1er janv., 1er Mai, 25 déc. - 5 € (-18 ans gratuit).
La montée est assez ardue (229 marches par un étroit escalier à vis). À la 2e terrasse, faire attention à ne pas se cogner la tête : la porte est étroite et très basse.
Construite au 15e s. à l'initiative de l'archevêque du même nom et couronnée d'un clocher, elle est toujours restée isolée du reste de la cathédrale. La flèche, tronquée par un ouragan au 18e s., supporte la statue de Notre-Dame d'Aquitaine installée au 19e s.
Du sommet de la tour, **vue★★** panoramique sur la ville et ses clochers. Prenez un peu de recul pour voir, côté sud, les deux flèches dominant le transept nord et, au premier plan, les deux puissantes tours carrées en terrasses qui flanquent le transept sud.

Centre Jean-Moulin

D2 *(plan p. 58). 48 r. Vital-Carles -*
☎ 05 56 79 66 00 - 14h-18h - fermé lun. et j. fériés - gratuit.
Le centre Jean-Moulin constitue un véritable musée de la Résistance et de la Déportation et présente un panorama de la Seconde Guerre mondiale.
Au rez-de-chaussée, tracts, correspondances clandestines, imprimerie, poste radio… illustrent la Résistance et la clandestinité, notamment le rôle qu'a joué **Jean Moulin**. Au 1er étage, la déportation et le nazisme sont évoqués par des toiles pathétiques de J.-J. Morvan sur le thème *Nuit et Brouillard* ainsi que par des maquettes, photos, uniformes de détenus. Au 2e étage, les Forces françaises libres : les hommes et le matériel dont le bateau *S'ils-te-mordent* qui relia Carantec à l'Angleterre, rempli de volontaires. Reconstitution du bureau clandestin de Jean Moulin.

Hôtel de ville - palais Rohan

D2 *(plan p. 58). Pl. Pey-Berland - ☎ 05 56 00 66 00 - www.bordeaux-tourisme.com -* ♿ *- visite guidée merc. 14h30 sur réserv. à l'office de tourisme - 3 €.*
Il occupe l'ancien palais épiscopal, construit au 18e s. pour l'archevêque **Ferdinand Maximilien de Mériadec**, prince de Rohan, et marque l'introduction du néoclassicisme en France. La **cour d'honneur** est fermée sur la rue par un portique à arcades ; à l'opposé s'élève le palais dont la

façade est animée par le ressaut de l'avant-corps central et des pavillons d'angle. Pendant la visite, on remarquera l'escalier d'honneur, des salons ornés de beaux lambris d'époque et une salle à manger avec grisailles de Lacour.

Musée des Arts décoratifs★

D2 *(plan p. 58). 39 r. Bouffard -* 🖉 *05 56 10 14 00 - 14h-18h - fermé mar. et j. fériés - gratuit, expos temporaires : 5 €.*
L'**hôtel de Lalande** (1779), l'un des plus beaux bâtiments anciens de Bordeaux, a conservé ses lucarnes et ses hauts toits d'ardoise. Dans l'aile des communs, quatre petits salons, traités dans le goût et l'esprit du 19e s., présentent la **collection Jeanvrot**. Viennent ensuite les salles du musée proprement dit, aux élégantes boiseries et pièces de mobilier, dont la salle de compagnie, décorée d'une terre cuite du 18e s. symbolisant l'Amérique. La **salle à manger** rassemble une collection de faïences stannifères bordelaises et un ensemble de porcelaines dures du 18e s. À côté, le **salon Cruse-Guestier**, avec ses meubles en marqueterie et ses bronzes de Barye, est caractéristique d'un intérieur de négociant bordelais. Par l'**escalier d'honneur**, embelli par une belle rampe en fer forgé, on atteint les pièces du 1er étage : céramiques françaises et étrangères, verreries. Belles carafes et gourdes du 18e s. dans le **salon Jonquille**, décoré d'un lustre en verre de Venise. Une pièce regroupe le mobilier bordelais que l'on trouvait chez les aristocrates de la ville. Dans

les combles, collections antérieures au 18e s. : mobilier Renaissance et 17e s., ferronnerie, serrurerie, émaux champlevés. Une salle expose le design des années 1950 à nos jours.

Musée des Beaux-Arts★

D2 *(plan p. 58). 20 cours d'Albret -* 🖉 *05 56 10 20 56 - 11h-18h - fermé mar. et j. fériés - gratuit, expos temporaires : 5 € (- de 18 ans : gratuit).*
Aménagé dans les galeries sud et nord du jardin de l'hôtel de ville, le musée conserve de très belles œuvres du 15e au 20e s.
L'**aile sud** abrite des tableaux de la Renaissance italienne, des œuvres françaises du 17e s. dont une toile très caravagesque de Vouet, *David tenant la tête de Goliath* ; des œuvres de l'école hollandaise du 17e s. dont le *Chanteur s'accompagnant au luth* par Ter Brugghen, le symbolique *Chêne foudroyé* par Van Goyen et le beau portrait de *L'Homme à la main sur le cœur* attribué un temps à Frans Hals ; des tableaux de l'école flamande du 17e s. avec l'admirable *Danse de noces* par Bruegel de Velours, d'un style populaire et rustique. Le 18e s. et le début du 19e s. sont représentés, entre autres, par deux saisissantes toiles du Génois Magnasco, qui évoquent la vie des galériens, le gracieux *Portrait de la princesse d'Orange-Nassau* par Tischbein, la *Nature morte au carré de viande* par Chardin et quatre tableaux du Bordelais Pierre Lacour, qui fut le premier conservateur du musée en 1811.

Le trésor de Tayac, au musée d'Aquitaine.

ODILON REDON

Bertrand-Jean, dit Odilon Redon (1840-1916), est natif de Bordeaux. Une petite salle du musée des Beaux-Arts lui rend hommage à travers quelques-unes de ses œuvres : Char d'Apollon *(1909),* Chevalier mystique, La Prière…

L'**aile nord** est consacrée à la peinture moderne et contemporaine. L'école romantique est présente à travers la célèbre toile de Delacroix, *La Grèce sur les ruines de Missolonghi*. Une œuvre de Diaz de la Peña (né à Bordeaux), *La Forêt de Fontainebleau*, illustre l'école de Barbizon, qui fut la première à peindre en plein air. La seconde moitié du 19e s. s'ouvre sur le scandaleux *Rolla* d'Henri Gervex, tableau de nu refusé au Salon en 1878, puis sur la grande toile d'inspiration symboliste d'Henri Martin, *Chacun sa chimère*. Du 20e s. : *L'Église Notre-Dame à Bordeaux* de l'expressionniste autrichien Kokoschka, le sinueux et tourmenté *Homme bleu sur la route* par Soutine et le très beau *Portrait de Bevilacqua* (1905), visage cerné de bleu, par Matisse. À ces œuvres viennent s'ajouter *L'Entrée du bassin à flot à Bordeaux* (1912) du Bordelais André Lothe, qui intègre les concepts cubistes à la tradition picturale. La dernière salle est consacrée à des œuvres contemporaines.

La **galerie des Beaux-Arts** *(pl. du Colonel-Raynal)*, où sont organisées des expositions temporaires, complétera la visite de ce musée.

Tribunal de grande instance de Bordeaux

D2 *(plan p. 58).*

Réalisé en 1998 par Richard Rogers, le TGI de Bordeaux s'inscrit au cœur de la ville historique, dans un îlot judiciaire comprenant l'hôtel de ville, l'ancien palais de justice néoclassique de Thiac et l'École nationale de la magistrature. Ce parallélépipède de verre, d'acier et de bois se dresse à l'extrémité de l'ancienne enceinte médiévale bordée de deux tours, vestiges du fort du Hâ. L'architecte du Centre Pompidou a fait ici le choix d'une architecture symbolique et fonctionnaliste : souhaitant une justice plus transparente, il prend le parti d'un bâtiment vitré où la fonction intérieure est révélée dès l'extérieur. L'escalier monumental et l'immense parvis qui le précède privilégient l'espace public et l'idée d'une justice plus accessible et plus ouverte. L'originalité vient des sept coques de bois sur pilotis qui renferment les salles d'audience.

Musée d'Aquitaine★★

D2 *(plan p. 58).* 20 cours Pasteur - ✆ 05 56 01 51 00 - www.bordeaux.fr - *11h-18h - fermé lun. et j. fériés - gratuit ; expos temporaires : 5 € (-18 ans : gratuit).* Aménagé dans les locaux de l'ancienne faculté des lettres et des sciences, ce musée d'histoire retrace, à travers d'importantes collections réparties sur deux niveaux, la vie de l'homme aquitain de la préhistoire à nos jours.

66

On aborde tout d'abord la section **préhistoire et protohistoire**, témoin des activités artisanales et artistiques des chasseurs de l'âge de pierre. Vous verrez notamment la *Vénus à la corne*, trouvée à Laussel (20 000 ans avant J.-C.), et le bison de l'abri du Cap-Blanc (magdalénien moyen). Une vitrine montrant un ensemble de haches trouvées dans le Médoc illustre la diversité de l'outillage façonné à l'**âge du bronze** (4000-2700 avant J.-C.). L'**âge du fer** est représenté par l'abondant matériel funéraire (urnes, bijoux, armes) découvert dans les nécropoles girondines ou les tumulus pyrénéens, mais surtout par le prestigieux **trésor de Tayac**, masse d'or composée d'un torque (collier rigide en métal), de monnaies et de petits lingots datant du 2e s. avant J.-C.

La section **gallo-romaine** rassemble, autour du rempart antique reconstitué, des mosaïques, des fragments de corniches ou de bas-reliefs, des céramiques, verreries et autres objets relatant tous les aspects de la vie quotidienne, économique et religieuse dans la capitale de la province d'Aquitaine. Remarquez, en particulier : l'autel dit « des Bituriges vivisques » en marbre gris des Pyrénées, le **trésor de Garonne** composé de 4 000 pièces de monnaie aux effigies des empereurs Claude à Antonin le Pieux et l'altière statue d'Hercule en bronze.

Les premiers temps chrétiens et le Haut Moyen Âge sont évoqués à travers des sarcophages en calcaire ou en marbre gris, des mosaïques et d'autres pièces significatives découvertes lors de travaux urbains (chapiteaux romans de la cathédrale St-André, rosace flamboyante du couvent des Grands Carmes).

L'âge d'or bordelais (18e s.) s'accompagne de la mise en œuvre de grands projets d'urbanisme et de la construction de magnifiques hôtels particuliers luxueusement aménagés (belle armoire bordelaise provenant du château Gayon, céramiques et verreries). Au 19e s., l'**Aquitaine** est une société rurale : l'accent est mis sur les principales ressources que recèlent le territoire pastoral béarnais, les Landes de Gascogne, la Gironde et son vignoble, le bassin d'Arcachon et l'ostréiculture. Une dernière salle présente les changements et enjeux du 20e s.

Le musée propose également dans ses salles permanentes une collection d'**art primitif** dont la plus ancienne pièce date de la seconde moitié du 19e s. Parmi les objets phares et uniques de cet art, une statue en écorce peinte des Vanuatu et une marmite sacrificielle décorée d'êtres totémiques de Nouvelle-Calédonie. La présence de ces collections à Bordeaux est liée à l'expansion coloniale de la ville et au rayonnement de son port.

Dans cet esprit, un espace de 4 salles a été créé sur le thème « **Bordeaux, le commerce atlantique et l'esclavage** », s'articulant autour du commerce négrier, des conditions de vie des esclaves et de l'héritage de cette période.

67

Mériadeck / Gambetta

Contesté par certains, applaudi par d'autres, le quartier d'affaires Mériadeck a bel et bien été intégré au secteur de la ville classé à l'Unesco en 2007 : dans cette mine d'architecture des années 1970, un brin désuète, les amateurs trouveront quelques perles. À côté, la place Gambetta offre au visiteur un carrefour animé et verdoyant, entre Pey-Berland, St-Seurin et le Triangle.

→**Accès :** Tram B Gambetta ; tram A Palais de Justice, Mériadeck, Saint-Bruno, Hôtel de Police ou Stade Chaban-Delmas. Plan de quartier D1-C2 p. 58-59. Plan détachable A-B 5-6.

→**Conseils :** n'hésitez pas à vous aventurer dans les rues peu visitées de ce quartier qui compte quelques-unes des meilleures tables de la ville. Les soirs de match à domicile, venez encourager les Girondins dans la ferveur du stade Chaban-Delmas !

Place Gambetta

D1 *(plan p. 58).*
Remarquable unité architecturale de maisons Louis XV, au rez-de-chaussée sur arcades et au dernier étage mansardé. Sur la place, agrémentée d'un petit jardin à l'anglaise, se dressa l'échafaud durant la Révolution.
Un peu en retrait s'élève la **porte Dijeaux**, datée 1748, point de départ de la rue commerçante piétonnière du même nom.

Basilique Saint-Seurin

C1 *(plan p. 58). Pl. des Martyrs-de-la-Résistance - ℘ 05 56 24 24 80 - mar.-sam. 8h30-19h, dim. 9h-12h15, 18h-20h15 - possibilité de visite guidée de déb. mai à mi-sept. : sam. 14h30-18h ; de mi-sept. à fin avr. : sam. apr.-midi ou sur demande (1 sem. av.).*
Comme la cathédrale St-André et la basilique St-Michel, qui se trouvent elles aussi sur le chemin de St-Jacques-de-Compostelle, la basilique St-Seurin est inscrite depuis 1999 au Patrimoine mondial de l'Unesco.
Entrez par le porche ouest (11ᵉ s.), aux intéressants chapiteaux romans. Il est enterré d'environ 3 m. L'ensemble manque d'envolée ; l'église fut, comme le porche, remblayée au début du 18ᵉ s. À l'entrée du **chœur** : beau siège épiscopal en pierre (14ᵉ-15ᵉ s.). En face, retable orné de 14 bas-reliefs en albâtre retraçant la vie de saint Seurin. À gauche du chœur, dans la chapelle N.-D.-de-la-Rose (15ᵉ s.), retable orné de 12 panneaux d'albâtre figurant la vie de la Vierge.
La **crypte**, du 11ᵉ s., recèle des colonnes et des chapiteaux gallo-romains, de beaux sarcophages en marbre sculpté du 6ᵉ s. et le tombeau (17ᵉ s.) de saint Fort.

Site paléochrétien de Saint-Seurin

C1 *(plan p. 58). Pl. des Martyrs-de-la-Résistance - ℘ 05 56 00 66 00 - juin-sept. : 14h-19h - 3 €.*

Le stade Chaban-Delmas.

68

Une nécropole, des fresques, des sarcophages et des amphores, constituant un véritable musée archéologique, nous révèlent l'art des premiers chrétiens.

Quartier Mériadeck

C2 *(plan p. 58).*

Son nom rappelle **Ferdinand Maximilien de Mériadec**, prince de Rohan, archevêque de Bordeaux au 18e s. Ce quartier, érigé dans les années 1970, est le centre directionnel de la région Aquitaine. Englobant bureaux, bâtiments administratifs, habitations, centre commercial, bibliothèque municipale et patinoire, il est aussi agrémenté de pièces d'eau et d'espaces verts. Des passerelles suspendues assurent l'accès vers les rues limitrophes. Les immeubles sont en verre et béton, arrondis ou cubiques et parfois encagés dans des structures métalliques. Les plus caractéristiques sont la **Caisse d'épargne** avec ses plans courbes et rectangulaires empilés, la **bibliothèque** aux parois réfléchissantes, l'**hôtel de région** à la façade rythmée par des lames verticales en béton et l'**hôtel des impôts** où triomphe le métal.

Église Saint-Bruno

C2 *(plan p. 58). R. François-de-Sourdis - 𝄢 05 56 96 41 08 - mar.-vend. 8h30-19h, sam. 8h30-18h, dim. 8h30-12h30 - visite guidée le 1er sam. du mois 15h-18h.*

L'église St-Bruno, accolée au cimetière de la Chartreuse, vaut le détour pour son somptueux décor intérieur représentatif de l'architecture baroque du 17e s. Seul élément restant du couvent des Chartreux, cette ancienne chapelle a été construite en 1611-1620 sur d'anciens marais asséchés pour répondre aux exigences de la contre-réforme.

La restauration des voûtes et des murs a dévoilé un décor de fresques en trompe-l'œil de l'Italien Gian Antonio Berinzago. L'*Assomption* de Philippe de Champaigne constitue la pièce maîtresse du retable, datant de 1673.

Cimetière de la Chartreuse

C2 *(plan p. 58). R. François-de-Sourdis - de mi-juil. à fin sept. : visite guidée le sam. à la tombée de la nuit - s'adresser à l'office de tourisme (𝄢 05 56 00 66 00).*

À l'instar du Père-Lachaise, il s'y dégage une atmosphère romantique par la diversité de l'architecture funéraire. Dans ce « riant pré de la mort », comme le surnommait Stendhal, des épitaphes portent de nombreux noms célèbres tels que Goya, Delacroix, Flora Tristan, la mère de Gauguin… et tant d'autres qui ont fait l'histoire de la région.

Stade Chaban-Delmas

Plan détachable A6

Dû à l'architecte de la ville **Jacques d'Welles** (1938), le stade Art déco, classé Monument historique, est dévolu aux Girondins de Bordeaux. Tous les 15 jours, jusqu'à 35 000 Bordelais viennent y supporter les sextuples champions de France. 🏃 *Les Girondins de Bordeaux p. 119.*

Jardin public

Un café contemporain élégant, dans l'ancienne orangerie, un museum et de vastes pelouses bordant la rivière serpentine font du jardin public un rendez-vous dominical apprécié des Bordelais. Sur le modèle du Jardin du Luxembourg à Paris, des photos sont accrochées à ses grilles, pour le plus grand plaisir des passants.

➜**Accès :** Tram C Jardin Public. Plan de quartier D1 p. 50-51. Plan détachable B-C 6.
➜**Conseils:** attablez-vous, le temps d'un verre, à la terrasse de son café, l'Orangerie : un délice ! ⚑ *Nos adresses/Prendre un verre.*

Jardin public

D1 *(plan p. 50). Cours de Verdun.* Aménagé à la française au 18ᵉ s., il fut transformé en parc à l'anglaise sous le Second Empire. On s'y promène à l'ombre de beaux arbres (palmiers, magnolias, etc.), au milieu de massifs richement fleuris. Il abrite le Muséum d'histoire naturelle.

Muséum d'histoire naturelle

D1 *(plan p. 50). 5 pl. Bardineau -* ☎ *05 56 48 29 86 - www.bordeaux.fr - fermeture pour rénovation jusqu'en 2012 (expos hors les murs - se renseigner).* Un petit air vieillot qui ne manque pas d'un certain charme, pour ce musée installé dans un hôtel du 18ᵉ s. en bordure du jardin public. Collections minéralogiques, paléontologiques et zoologiques consacrées, en partie, au Sud-Ouest de la France.

Palais Gallien

C1 *(plan p. 50). R. du Dr.-André-Barraud - s'adresser à l'office de tourisme -* ☎ *05 56 00 66 00 - juin-sept. : 14h-19h - 3 €.* Amphithéâtre romain dont les gradins en bois pouvaient contenir 15 000 spectateurs. Il n'en reste que quelques travées et arcades envahies par les herbes folles, qui charmeront les âmes romantiques.

Petit hôtel Labottière

C1 *(plan p. 50). 13 r. St-Laurent -* ☎ *05 56 48 44 10 - www. petithotellabottiere.fr - tte l'année visite sur RV à l'office de tourisme : 8 € - poss. de séjour en chambre d'hôte avec visite privée offerte (1h).* ⚑ *Nos adresses/Se loger.* Classé Monument historique, cet hôtel particulier néoclassique (fin 18ᵉ s.) dû à Laclotte, l'architecte du musée des Arts décoratifs, a été restauré à l'identique afin de faire revivre l'esprit des lieux. Chaque pièce à la décoration raffinée est harmonieusement meublée d'époque. À droite du vestibule, bel escalier suspendu.

Les Chartrons★

Si son nom rappelle un ancien couvent de chartreux, c'est au négoce qu'on l'associe : ici naquit la réputation mondiale du vin de Bordeaux. Au 15ᵉ s., le couvent fut transformé en un gigantesque entrepôt de vins et, trois siècles plus tard, le quartier connut son heure de gloire. Hôtels particuliers du cours Xavier-Arnozan et façades harmonieuses des quais datent de cette époque. Quand, dans le dernier quart du 20ᵉ s., le port fut déplacé en aval du fleuve, le quartier céda son emprise sur le commerce viticole, mais ne perdit rien de son âme. Avec l'aménagement des quais, les promeneurs retrouvent désormais ce coin de la ville qui donna à la vigne ses lettres de noblesse.

➜**Accès :** le quartier des Chartrons s'étend au nord des Quinconces, entre le quai du même nom et les cours de Verdun, Portal et St-Louis. Tram B : stations CAPC à Bassins à flot. Plan de quartier ci-contre. Plan détachable C3-4, D1-3.

➜**Conseils :** de passage le dimanche, dégustez une assiette d'huîtres au marché des Chartrons. En semaine, arpentez la rue Notre-Dame, jalonnée de magasins d'antiquaires. Le soir, consultez l'agenda de la base sous-marine, à la programmation très underground.

Cours Xavier-Arnozan

C'est l'ancien « pavé » des Chartrons. De grands négociants, qui souhaitaient disposer d'une habitation somptueuse à l'écart de la cohue du port, y firent bâtir de belles demeures vers 1770. De splendides **balcons★** sur trompe sont ornés d'un garde-corps en ferronnerie.

CAPC musée d'Art contemporain★

7 r. Ferrère - ℘ 05 56 00 81 50 - www. bordeaux.fr - tlj sf lun. et j. fériés 11h-18h (merc. 20h) - collections permanentes gratuites hors périodes d'expos temporaires, période d'expos : 5 € (y compris pour les collections permanentes seules).

Le CAPC (Centre d'arts plastiques contemporains) - musée d'Art contemporain est installé dans l'ancien **entrepôt Lainé★★**, construit en 1824 pour servir de stockage aux denrées coloniales de Bordeaux. Il a été réaménagé de façon particulièrement réussie.

Autour de la spectaculaire **nef centrale** sont réparties les galeries d'exposition, une bibliothèque et le centre d'architecture Arc en rêve. La terrasse, située au second étage entre les toits du bâtiment, abrite un café.

Le **musée** présente ses collections permanentes qui couvrent une période allant de la fin des années 1960 jusqu'aux tendances les plus actuelles de la création, ainsi que des expositions temporaires.

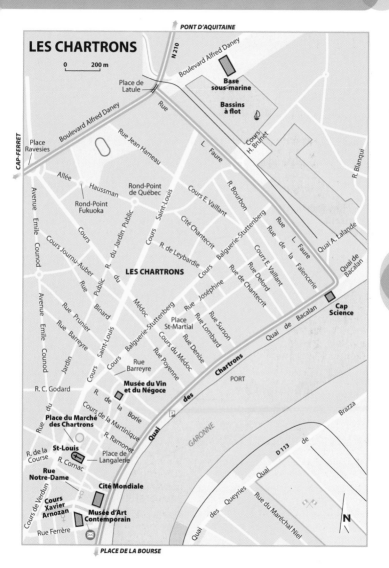

PONT D'AQUITAINE

LES CHARTRONS

0   200 m

CAP-FERRET

Place de Latule

Boulevard Alfred Daney

Rue

Place Ravesies

Boulevard Alfred Daney

Rue Jean Hameau

Allée

Haussman

Rond-Point Fukuoka

Rond-Point de Québec

Avenue Émile Counord

Cours Journu-Auber

Cours

R. du Jardin Public

R. du Jardin Public

Saint-Louis

Cité Chantecrit

Cours E. Vaillant

R. de Leybardie

LES CHARTRONS

Cours

Balguerie-Stuttenberg

Rue de Chantecrit

Rue Delord

Cours E. Vaillant

R. Bourbon

Rue de la Faïencerie

Rue L. Faure

Quai A. Lalande

R. Blanqui

Base sous-marine

Bassins à flot

Cours H. Brunet

Quai de Bacalan

73

Avenue Émile Counord

Rue Prunier

Rue Barreyre

Jardin

Rue Binard

Cours Saint-Louis

Médoc

Balguerie-Stuttenberg

Rue Joséphine

Place St-Martial

Cours du Médoc

Rue Lombard

Rue Surson

Rue Denise

Rue Poyenne

Quai de Bacalan

Cap Science

R. C. Godard

Rue du

R. de la Borie

Rue Barreyre

Cours de la Martinique

Place du Marché des Chartrons

Musée du Vin et du Négoce

Chartrons

des

Quai

PORT

GARONNE

Brazza

R. de la Course

R. Cornac

St-Louis

Place de Langalerie

R. Ramonet

D 113

de

Rue Notre-Dame

Cité Mondiale

Cours Xavier Arnozan

Musée d'Art Contemporain

Cours de Verdun

Rue Ferrère

Quai

Quai des Queyries

Rue du Maréchal Niel

N

PLACE DE LA BOURSE

Cité mondiale

20 quai des Chartrons.
Conçue sur les plans de l'architecte bordelais Michel Petuaud-Letang, elle arbore, côté quai des Chartrons, une harmonieuse façade de verre incurvée, où s'imbrique une tour ronde. Inaugurée en janvier 1992, la Cité mondiale, consacrée aux vins et spiritueux jusqu'en 1995, est aujourd'hui devenue un centre d'affaires et de congrès, avec divers commerces et restaurants.

Rue Notre-Dame

C'est la colonne vertébrale du quartier des Chartrons : aux négociants d'hier se sont substitués les antiquaires et les brocanteurs. Rendez-vous des chineurs, des flâneurs, la rue Notre-Dame incite à la balade. Il s'y dégage une atmosphère de calme et de village privilégiant la découverte des façades de pierre, des têtes coiffées des mascarons (motifs architecturaux ornementaux), au gré des ruelles pavées et de ses nombreuses boutiques.

Place du Marché-des-Chartrons

C'est à l'emplacement de l'ancien couvent des Carmes que l'architecte Charles Burguet réalise en 1869 une première halle métallique à six faces. Aujourd'hui restaurées, les 18 baies de la halle des Chartrons associent pierre, fer et verre pour offrir un espace lumineux et ouvert sur l'extérieur, endroit idéal pour accueillir de nombreuses manifestations culturelles, et faire une pause aux terrasses des cafés qui l'entourent.

Église Saint-Louis-des-Chartrons

R. Notre-Dame - ℘ 05 56 52 94 15 - pour les visites, rens. au bureau de l'église : lun.-vend. 14h-18h.
Elle dresse fièrement ses deux flèches, illuminées de bleu la nuit, pour marquer le cœur du quartier. Sa rosace monumentale, ses vitraux et ses contreforts en font un édifice de type néogothique, achevé en 1880. Elle renferme le plus important orgue symphonique d'Aquitaine (1881) et le plus beau de la facture Wermer-Maille.

Musée du Vin et du Négoce de Bordeaux

41 r. Borie - ℘ 05 56 90 19 13 - www.mvnb.fr - mai.-oct. : 10h-18h (jeu. 22h) ; nov.-avr. : 10h-18h (dim. 14h-18h) - visite et dégustation de 2 vins : 7 €.
Ce nouveau musée a ouvert ses portes dans trois très belles caves voûtées, typiques des Chartrons. Il retrace l'histoire du négoce du vin à Bordeaux. De nombreux objets et supports visuels contribuent à la mise en scène des grands thèmes abordés : l'histoire des grandes familles, les classements des vins, le travail dans les chais et le rôle du port de Bordeaux dans le négoce.

Quai des Chartrons★

Au pied de la façade ravalée des immeubles 18e s., le quai des Chartrons a totalement changé de visage et propose aujourd'hui un nouvel espace de vie aux Bordelais, le long des berges de la Garonne. Depuis la réhabilitation des

Le musée d'Art contemporain.

UN VIN DOUX AU PALAIS

La vigne a été introduite dans la région par les Romains. Ce vin, que les Anglais appellent « claret », est très apprécié des Plantagenêts. Et pour preuve, lors des fêtes du couronnement mille barriques sont mises à sec. Le raisin est alors sacré : qui dérobe une grappe a l'oreille coupée. La qualité des vins est l'objet de tous les soins : six dégustateurs jurés les vérifient et aucun tavernier ne peut mettre une pièce en perce avant qu'elle n'ait été soumise à leur dégustation. Les marchands pratiquant le coupage sont punis ainsi que les tonneliers dont les barriques sont défectueuses.

anciens hangars portuaires (H14, H15 et H20) en lieux culturels ou de commerce, les Bordelais ont retrouvé leur fleuve et le plaisir d'une balade (à vélo, en rollers ou à pied) avec vue imprenable sur le port de la Lune. L'assiette d'huîtres et le verre de vin blanc sont à déguster le dimanche matin à l'incontournable marché des Chartrons, installé près du skate park.

Cap Sciences

Hangar 20 - quai de Bacalan - ☎ 05 56 01 07 07 - www.cap-sciences.net - ♿ - 14h-18h (w.-end 19h) - fermé lun. et j. fériés (ouvert lun. 14h-18h pdt vac. scol.) - 5,50 € (-16 ans 3,80 €).
Le Centre de culture scientifique technique et industrielle de la région Aquitaine accueille une grande exposition annuelle, ludique et pédagogique, avec des animations organisés en permanence autour de la thématique. À l'étage prend place une autre exposition temporaire, plus petite

mais également interactive. Espaces lecture et multimédia, ateliers enfants *(merc., w.-end et vac. scol., sur réserv.)*.

Bassins à flot

Pour les plus courageux, le quartier des bassins à flot est un quartier en devenir à découvrir. Loin du Bordeaux 18e s. et longtemps délaissé pour son passé lié aux activités portuaires, il fait l'objet de futurs projets d'aménagement. Agence d'architecture, galerie d'art et Frac (Fonds régional d'art contemporain) ont d'ores et déjà investi le Hangar G2. La **base sous-marine**, vestige impressionnant de la Seconde Guerre mondiale, construite de 1941 à 1943 pour abriter la 12e flottille de sous-marins de l'armée allemande, est un équipement culturel de la ville, qui se visite. Le lieu s'anime la nuit dans une ambiance underground. *Bd Alfred-Daney - ☎ 05 56 11 11 50 - mar.-dim. 14h-19h - expos temporaires.*

Saint-Jean

Inscrit dans une politique de développement incluant St-Michel et Belcier, St-Jean a déjà entamé sa métamorphose : réhabilitation d'anciennes friches, rénovation d'immeubles et inauguration du secteur Ste-Croix et des Jardins des quais augurent de beaux jours. Entre gare et Garonne, le quai de Paludate, avec ses boîtes de nuit au coude à coude, demeure le fief des noctambules.

→**Accès :** Tram C Ste-Croix ou Gare St-Jean. Plan de quartier F3 p. 59. Plan détachable D 6-8.

Gare Saint-Jean

F3 *(plan p. 59). R. Charles-Domercq.* Inaugurée en 1854, l'ancienne gare du Midi, qui desservait Sète et Bayonne, supplanta peu à peu la gare d'Orléans, située sur la rive droite. Derrière sa façade néoclassique (1897) présentant un avant-corps central flanqué de deux ailes – une pour les départs, l'autre pour les arrivées – se déploie une halle métallique de 277 m de long sur 36 de haut. Érigée en 1907, elle était alors la plus grande du monde.

Château Descas

Plan détachable D6. *5 quai de Paludate.* Pied de nez à la sobriété classique du quai des Chartrons, un bâtiment imposant et pompeux, à l'autre bout du port de la Lune. C'est la proximité de la gare qui conduisit la maison de négoce Descas à bâtir en 1893 son siège sur ce site.

Ancien centre de tri postal

Plan détachable D8. *R. Charles-Domercq.* Édifice Art déco dû à l'architecte Léon Jaussely (1929), sa façade est ornée de belles mosaïques qui lui ont valu le label « Patrimoine du 20ᵉ s. »

Jardins des quais

Plan détachable D6. *Quai Ste-Croix.* C'est face aux quartiers Ste-Croix et St-Jean qu'ont été achevés, en mai 2009, les 4,5 km de jardins et promenades bordant le fleuve depuis les bassins à flot jusqu'à la gare. Un fronton, un espace de glisse, plusieurs terrains de basket et de football urbain ainsi qu'une aire de sable composent ce dernier tronçon, le « Parc des Sports».

Musée des Compagnons du Tour de France

F3 *(plan p. 59).* 112 r. Malbec - ✆ 05 56 92 05 17 - www.compagnons.org - *merc.- vend. 14h-17h30, sam. 10h-17h - fermé j. fériés - 3 €.* Tout pour comprendre les origines, l'organisation et le fonctionnement du compagnonnage. Le musée abrite notamment une belle collection de chefs-d'œuvre de charpente, menuiserie, ébénisterie ou maçonnerie.

La Bastide

Champ de vignes puis friche industrielle, la rive droite, annexée par Bordeaux au 19e s. et longtemps boudée par ses habitants, retrouve ses couleurs depuis qu'elle fait l'objet d'un grand lifting vert : berges arborées, jardin botanique et bientôt parc aux Angéliques. De ses quais, elle offre aux Bordelais l'un des plus beaux panoramas de la ville.

→**Accès :** Tram A Stalingrad ou Jardin botanique. Plan de quartier F1 ci-contre. Plan détachable D4-5, E5.

→**Conseil :** réservez dans l'un des restaurants du quai des Queyries pour profiter, depuis leurs terrasses, de la vue sur la rive gauche.

Pont de Pierre

F1-2 *(plan p. 79)*. Ce beau pont de pierres blondes et rouges fut le premier de Bordeaux, et le seul de la ville jusqu'en 1965. Édifié en 1822 par Claude Deschamps, architecte de l'entrepôt Lainé (CAPC), il s'étire sur 487 m et compte 17 arches… comme le nombre de lettres de « Napoléon Bonaparte ».

Quai des Queyries

E-F1 *(plan p. 79)*. Depuis ses pelouses ou ses terrasses de restaurants, il offre les plus belles **vues**★★ de la rive gauche : place de la Bourse, quai des Chartrons… En projet, le parc aux Angéliques doit prolonger ses agréables jardins.

Jardin botanique

F1 *(plan p. 79)*. Quai de Queyries. Conçu par l'architecte paysagiste Catherine Mosbach, il renouvelle le genre par sa présentation thématique. Le visiteur est sensibilisé à l'écologie à travers une « galerie des milieux » (prairie humide, coteau calcaire, etc.), à l'ethnobotanique avec les « champs de cultures ». Outre un jardin aquatique et un jardin urbain, des serres tropicales complètent l'ensemble. À proximité, le récent **Pôle universitaire** de Bordeaux-IV *(35 av. Abadie)*.

Église Sainte-Marie

F1 *(plan p. 79)*. 64 r. de Dijon. Érigée entre 1860 et 1887, de style néo-médiéval, elle se distingue par sa charpente apparente (plafond) et son clocher, coiffé d'un bulbe.

Maison cantonale

Plan détachable E5. 20 r. de Chateauneuf - ☎ 05 56 86 20 56 - lun.-vend. 9h-12h30, 13h-16h30.
Bel exemple d'architecture Art nouveau, avec ses lignes courbes ou rompues et ses mosaïques, elle fut construite entre 1913 et 1926 après que la Bastide eut été érigée en canton (1888), et abrite toujours un prétoire de justice, un commissariat de police, une bibliothèque et une mairie de quartier.

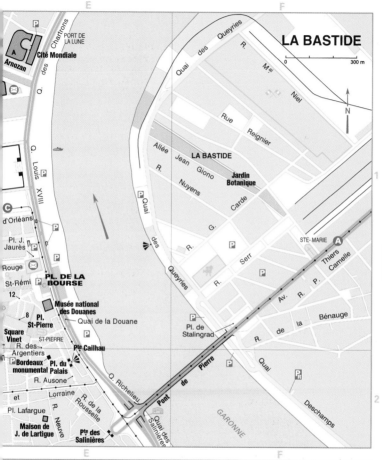

À proximité

Étape sur la route des vignobles ou simple escapade, les communes voisines de Bordeaux raviront les amateurs d'architecture et d'art modernes : art brut, Art déco et fonctionnalisme sont aux portes de la capitale girondine.

➜ **Accès :** Pessac est accessible, en voiture, par le cours du Maréchal-Galliéni (plan détachable B7) ; Bègles par le boulevard Jean-Jacques-Bosc (plan détachable E8). Si les centres-villes sont desservis par le tram, il vous faudra ensuite marcher pour rejoindre les sites mentionnés ci-dessous. Des bus *(voir chaque site ci-dessous)* permettent de s'en rapprocher davantage.

➜ **Conseil :** prévoyez, en bus, 1h30 AR de trajet au départ du centre de Bordeaux.

Musée de la Création franche

58 av. du Mar.-de-Lattre-de-Tassigny - Bègles - depuis la gare St-Jean, bus 2, arrêt Mairie de Bègles, ou bus 23, arrêt Bibliothèque - ☏ 05 56 85 81 73 - www. musee-creationfranche.com - 15h-19h - fermé j. fériés - gratuit.

Voilà un site original qui ne laisse pas indifférent. D'abord c'est une histoire : celle d'une galerie, créée en 1989, attachée à diffuser « **l'Art Brut et ses apparentés** », devenue municipale en 1996 et qui fait désormais référence dans le domaine (prêtant des œuvres à des musées de par le monde). Ensuite c'est un lieu : une ancienne maison bourgeoise entourée d'un parc, qui accueille au rez-de-chaussée les expositions temporaires (5 par an) et à l'étage la collection permanente (le fonds compte 10 000 œuvres). Que l'on apprécie ou pas, on ne peut ignorer ce courant d'art basé sur la spontanéité de la créativité, en marge de toutes institutions.

Piscine de Bègles

2 r. Carnot - Bègles - ☏ 05 56 49 53 21 - depuis la place de la Victoire, bus 23 arrêt Liberté.

Céramique, mosaïques et motifs géométriques : la piscine Art déco de Bègles (1932) a retrouvé son lustre depuis sa restauration réussie, due à Patrick Bouchain.

Cité Frugès-Le Corbusier

R. Le-Corbusier - Pessac - ☏ 05 56 36 56 46 - depuis le musée d'Aquitaine, bus 45 arrêt Arago.

Construite en 1926, la cité Frugès témoigne de l'esprit d'avant-garde de son concepteur, **Le Corbusier** (1887-1965), qui put mettre ici en pratique ses réflexions en matière d'urbanisme. Les 50 pavillons « zig-zag », « quinconce », « gratte-ciel », etc. , aux formes ludiques et épurées, ont subi des altérations, mais une politique de mise en valeur tente de restituer l'unité originelle du quartier, dans le respect de ses occupants.

Peinture sur toile de Sanfourche - musée de la Création franche à Bègles.

Sites touristiques du vin

Ce sont les Romains, dit-on, qui introduisirent la vigne en Aquitaine. Mais on ne buvait alors qu'une triste piquette relevée de miel et d'épices. Rien à voir avec les vins « aimables » et « épanouis » qui mûrissent aujourd'hui à l'ombre des chais bordelais. Aucun doute, la vigne est souveraine aux portes de Bordeaux. Elle règne sur la vie des hommes comme sur le paysage. C'est une impressionnante mer verdoyante, fleurie çà et là de rosiers, qui monte à l'assaut des collines, occupant chaque parcelle de terrain et ne s'arrêtant qu'à la lisière des bois et au pied des demeures. Longtemps jugés inhospitaliers, et leurs châteaux inaccessibles, les propriétaires s'ouvrent désormais au public, en particulier dans le Médoc, proposant dégustations et visites. L'œnotourisme connaîtrait-il son âge d'or ?

➜**Accès :** à moins de ne souhaiter visiter qu'un château – consultez dans ce cas le réseau des cars TransGironde (p. 12), qui couvre peut-être la commune qui l'accueille –, impossible de parcourir la Route des vins sans véhicule. Vous trouverez des cartes du vignoble à la Maison du tourisme de la Gironde (p. 6) ainsi qu'à la Maison du vin de Bordeaux (p. 41). Utilisez également la Carte Michelin Départements n° 335 *(nous donnons ci-dessous en rouge les coordonnées cartographiques de chaque site)*. L'office du tourisme de Bordeaux (p. 6) propose en outre d'intéressantes visites de châteaux comprenant le transport.

➜**Conseil :** si les châteaux sont bien indiqués dans leurs communes, il est conseillé de téléphoner à l'avance pour s'assurer de l'itinéraire à suivre et des horaires d'ouverture, sujets à changements. Présentant un intérêt particulier, les sites proposés dans ce chapitre, toutefois, sont bien signalés. N'hésitez pas, au préalable, à demander plus d'informations auprès de la Maison du vin.

Haut-Médoc

Château d'Agassac

H5 - *À Ludon-Médoc* - 📞 *05 57 88 15 47* - *www.agassac.com - juil.-août : 10h30-18h30; juin et sept. : mar.-sam. 10h30-18h30; oct.-mai : lun.-vend. sur RV - visite guidée et dégustation 7 € (enf. gratuit), visite libre avec Ipod et dégustation 5 € (enf. 2 €).* Ce château a choisi la carte de l'innovation en proposant une visite « vin-teractive » sur Ipod audio et vidéo. Une façon originale de découvrir ce domaine du 13e s. situé aux portes de Bordeaux. Avec ses allures de contes de fées, niché au cœur d'un parc arboré de 20 ha, Agassac vous séduira par ses tourelles aux toits coniques, ses douves en eau et son pigeonnier soigneusement restauré. À défaut de princesse, vous apprécierez la dégustation de ses vins…

Château Siran

H4 - *À Labarde* - 📞 *05 57 88 34 04 - www.chateausiran.com -* ♿ *- visite guidée : tte la journée - fermé 1er janv., 25 déc. - gratuit, 8 € avec dégustation.*

Cette **chartreuse** (17e s.-Directoire), entourée d'un bois qui, à l'automne, se tapisse de cyclamens, a appartenu aux comtes de Toulouse-Lautrec, ancêtres du peintre. Les 40 ha de vignoble sont divisés en trois parcelles.

Du chai à la salle de réception, vous verrez la collection d'étiquettes du château illustrées, chaque année, par un artiste, des objets de tonnellerie, une série de bouteilles anciennes, des gravures signées Rubens, Vélasquez, Boucher, Daumier, la reproduction du *Bacchus juvénile* du Caravage et, enfin, l'intéressante collection d'assiettes à dessert Vieillard richement décorées (scènes de chasse, mariage, etc.).

Château Margaux

G4 - À Margaux - 📞 *05 57 88 83 83 - www. chateau-margaux.com - visite guidée des chais (1h30) sur RV lun.-vend. - fermé w.-end, j. fériés, août et pendant les vendanges - gratuit.*

« Premier grand cru classé », le vignoble de Château Margaux fait partie de l'aristocratie des vins de Bordeaux. Il couvre 85 ha. Remarquez quelques rangées de très vieux ceps, noueux et tordus. On visite les chais, les installations de vinification et une collection de vieilles bouteilles. Le château, bâti en 1802 par l'architecte Combes, élève de Victor Louis, comporte un soubassement, deux étages et un attique. Un jardin à l'anglaise contraste, par sa fantaisie, avec la sévérité des bâtiments.

Château Maucaillou

G4 - À Moulis-en-Médoc - 📞 *05 56 58 01 23 - www.maucaillou.com - visite guidée - mai-sept. : 10h-17h ; oct.-avr. : 10h-16h - fermé 1er janv. - 6,90 € (-17 ans 3 €).*

Le domaine propose la visite de son chai et de son **musée des Arts et Métiers de la vigne et du vin** exposant les méthodes anciennes et modernes de viticulture.

Château Beychevelle

G4 - À St-Julien-Beychevelle - 📞 *05 56 73 20 70 - www.beychevelle.com - visite guidée (1h) mai-sept. : lun.-sam. 10h, 11h30, 13h30, 17h ; oct.-avr. : lun.-vend. 10h, 11h30, 13h30, 17h - fermé 20-31 déc., dim. et j. fériés - gratuit, 8 € avec dégustation.*

Le nom de Beychevelle (« baisse-voile ») viendrait du salut que les navires devaient faire au 17e s. devant la demeure appartenant au duc d'Épernon, grand amiral de France, qui percevait un droit de péage.

La blanche et charmante chartreuse, reconstruite en 1757 et agrandie à la fin du 19e s., a retrouvé sa splendeur originelle suite à une restauration. Elle présente un fronton sculpté de guirlandes et de palmes.

Au-delà de Beychevelle, vues agréables sur l'estuaire de la Gironde.

Château Mouton Rothschild★

G3 - À Pauillac - 📞 *05 56 73 21 29 - visite guidée sur RV au service des visites : lun.- jeu. 9h30-11h, 14h-16h (vend. 15h) - fermé w.-end et j. fériés - 6, 50 €, 16 € avec dégustation.*

Au cœur des vignobles qui dominent Pauillac se niche le Château Mouton Rothschild, un des noms glorieux du Médoc, classé « premier cru » en 1973, dont se visitent les **chais★** : de la salle

83

d'accueil superbement meublée et décorée de peintures et de sculptures ayant trait à la vigne ou au vin, on passe dans la salle de banquets, tendue d'une somptueuse tapisserie du 16e s. représentant les vendanges. Après le grand chai où reposent les barriques de vin nouveau viennent enfin caves et caveaux où s'alignent par milliers de précieuses et vénérables bouteilles. Le **musée★★** est aménagé dans d'anciens caveaux. Nombreuses œuvres d'art de toutes les époques, se rapportant à la vigne et au vin. On admirera tapisseries, peintures, sculptures, céramiques, verreries, « pierres dures » placées dans un cabinet orné de drap bleu nuit et surtout un étonnant ensemble d'orfèvrerie des 16e-17e s. Une place est faite à l'art contemporain avec notamment une belle composition du sculpteur américain Lippold.

Château Loudenne

G3 - *À St-Yzans-de-Médoc - ☎ 05 56 73 17 97 - www.lafragette.com - mars-oct. : 9h-18h (visites guidées 11h, 14h30, 16h, 17h30), reste de l'année sur RV - fermé 1er janv., 1er nov., 11 Nov. - visite guidée 5 €, visite libre gratuit.*

Cette ravissante **chartreuse** du 17e s. de couleur rose a appartenu à deux Britanniques pendant 125 ans jusqu'à son rachat en 2000. La terrasse ouvre sur des **jardins à l'anglaise** (comprenant une roseraie conservatoire) qui descendent doucement vers l'estuaire où se trouve le petit port privé de la propriété. Les chais victoriens abritent un **musée** retraçant le travail

du vin (outils et objets anciens) et de la vigne (intéressante fresque « des quatre saisons »). Possibilité de déguster les vins du Château Loudenne (cru bourgeois du Médoc) mais aussi ceux des autres propriétés de la famille Lafragette (Château de l'Hospital, au cœur des Graves, et Château de Rouillac, dans l'appellation pessac-léognan).

La Winery

G5 - *Rond-Point des Vendangeurs, à Arsac - ☎ 05 56 39 04 90 - www.lawinery. fr - tlj sf lun. 10h-19h.*

Un restaurant, une boutique, un espace culturel, un parc, des œuvres d'art, tout est réuni dans ce nouveau temple du vin, conçu sur un concept œnologique unique en France, pour créer des passerelles entre l'art et le vin. Ici, vin rime avec contemporain. Dans une architecture moderne, vous découvrirez les mille et un vins du monde proposés à la boutique, avant de déguster le vin de votre choix sur la formule « bistronomique » du chef ou d'établir votre signe œnologique!

Pessac-Léognan, Graves et Sauternes

Écomusée de la Vigne et du Vin

H6 - *288 cours du Général-de-Gaulle - Gradignan - ☎ 05 56 89 00 79 - visite guidée merc., vend., sam. et 2e dim. du mois 14h-18h, le reste de la semaine sur RV - visite gratuite, visite et dégustation 6,30 €.*

Installé dans une ancienne ferme, ce musée présente une collection d'objets liés au travail de la vigne et à la fabrication du vin, entre 1850 et 1950.

Dans le vignoble du Médoc.

Château Lagueloup

I6 - À Portets - ℘ 05 56 67 13 90 - www. chateaulagueloup.com - visite guidée mat. et apr.-midi - 6 €, dégustation accompagnée 5 € - petit-déjeuner gourmand sam. sur réserv.

La propriétaire du château de Mongenan a acquis, en 2000, le Château Lagueloup dans lequel elle a aménagé un **musée de la Vigne et du Vin** présentant le patrimoine technique exceptionnel trouvé sur les lieux. En effet, les immenses chais ont été conçus à la fin du 19e s. par l'ingénieur Samuel Wolff comme une usine. Différents documents illustrent l'histoire de cette réalisation révolutionnaire. Vous verrez ces installations « modernes » (transport des vendanges par wagonnets, pressoir à vapeur, foulopompe…), ainsi que le matériel de tonnellerie (car le château avait son propre atelier), et une collection d'outils de la vigne depuis le 18e s. Dans le parc du château, un baptistère datant du 3e s. a été découvert.

Château de Malle★

J7 - À Preignac - ℘ 05 56 62 36 86 - www. chateau-de-malle.fr - château : visite guidée (libre pour les jardins à l'italienne) - avr.-oct. : 14h-18h (mat. sur demande) - fermé mars-nov. et 1er Mai - visite guidée et dégustation 7 €.

Un portail d'entrée orné de superbes ferronneries donne accès au domaine. Le château, charmante demeure du 17e s. à pavillon central aux frontons sculptés semi-circulaires, coiffé d'un toit d'ardoises à la Mansart, rappelle par son plan les chartreuses girondines. Deux ailes basses en fer à cheval aboutissent à deux grosses tours rondes. Les bâtiments latéraux renferment les chais. L'intérieur du château, garni d'un beau mobilier ancien, abrite une **collection de silhouettes en trompe-l'œil** du 17e s., unique en France. Elles servaient autrefois de figuration immobile au petit théâtre en rocaille du jardin.

Les **jardins** en terrasses, à l'italienne, présentent des groupes sculptés du 17e s. et un curieux nymphée en rocaille orné de statues d'Arlequin, Pantalon et Cassandre. Prolongeant ces jardins, le vignoble s'étend, fait unique en Gironde, sur les deux terroirs de Sauternes (vin blanc) et de Graves (vin rouge).

Entre-Deux-Mers

Maison Ginestet

I6 - À Carignan-de-Bordeaux - ℘ 05 56 68 81 82 - www.ginestet.fr - visite guidée sur demande de déb. janv. à mi-déc. : lun.-vend. mat. et apr.-midi ; oct.-mai : sur demande - fermé w.-end et j. fériés - gratuit.

Cette maison de négoce fondée en 1897 ouvre ses installations à la visite, du cuvier au chai de vieillissement, et fait découvrir le métier méconnu d'éleveur et vinificateur. Ne vous fiez pas aux apparences : la bâtisse moderne n'a pas le charme d'un château mais le guide est passionnant, un vrai puits de science ; vous aurez du mal à en toucher le fond… et à repartir sans acheter une bouteille !

Planète Bordeaux★

I5 - À Beychac - ℘ 05 57 97 19 20 / 35 - www.planete-bordeaux.net - juin-oct. : lun.-sam. 10h-19h ; reste de l'année : lun.-vend. 9h-12h, 14h-19h, sam. 9h-19h - 5 € avec dégustation de 3 vins ou 20 € avec 7 vins.

Siège du syndicat des **AOC Bordeaux et Bordeaux supérieurs**, ce site propose un parcours pédagogique multimédia et interactif (films, animations son et lumière, maquettes) permettant de découvrir les terroirs au fil des saisons, les techniques de production et les processus de transformation du raisin en vin, le fonctionnement de l'odorat et du goût… La visite se termine bien sûr par une dégustation ! La cave-boutique propose un très vaste choix de châteaux au prix de la propriété. À l'accueil, informations et orientation vers les différentes propriétés des deux appellations.

Saint-Émilion

Écomusée du Libournais
K5 - *À Montagne - ☏ 05 57 74 56 89 - www.ecomusee-libournais.com - de déb. avr. au 11 Nov. : 9h30-12h, 14h-18h - visites guidées juil.-sept. : lun.-vend. 11h, 15h, 16h30 - fermé reste de l'année - 6 € pour les 2 types de visites.*

Ce musée propose au visiteur une incursion dans le terroir à travers une présentation des ressources locales, des activités traditionnelles et de l'aspect social dans le vignoble libournais à la fin du 19e s. et au début du 20e s. La seconde partie est consacrée aux **techniques viticoles** actuelles : ce panorama vous permettra de faire le point sur vos connaissances ou de les compléter avant de vous rendre sur le terrain. D'intéressants espaces mis en scène (tonnellerie, maréchalerie, charronnage…) complètent la visite. Le **jardin ethnobotanique** est lui aussi instructif, vous y découvrirez les différentes utilisations (ludiques, curatives, ornementales, etc.) des plantes et arbres.

Plages et lacs médocains

De la pointe de Grave, surveillée par le phare de Cordouan, géant Renaissance, au lac de Lacanau, des pins, des dunes, un long ruban de plages de sable fin, des lames géantes narguées par les surfers. Et que d'eau : lacs d'eau douce et océan vous cernent de tous côtés. Que choisir ? Se balader à pied, pédaler, nager ou ne rien faire… L'environnement se prête à des vacances nature, à votre rythme.

➜**Accès :** seules Soulac et la pointe de Grave sont desservies par le train. Pour rallier les autres villes et plages du littoral médocain, rendez-vous place des Quinconces, d'où partent les cars de TransGironde (🕭 p. 12). En voiture, gagnez les boulevards de Bordeaux puis sortez à la barrière du Médoc pour Soulac et la pointe de Grave, à la barrière St-Médard pour Lacanau et son lac, et à l'une de ces deux barrières au choix pour Carcans et Hourtin. Utilisez la Carte Michelin Départements n° 335 *(nous donnons ci-dessous en rouge les coordonnées cartographiques de chaque site).*

➜**Conseil :** le Médoc est une terre viticole ; ne vous contentez pas de ses plages ! Profitez des courtes distances pour coupler vos activités : visite d'un château et dégustation le matin (🕭 p. 41) puis farniente sous les pins l'après-midi, par exemple. La ligne SNCF Bordeaux-Le Verdon, qui passe par Margaux et Pauillac avant de rejoindre Soulac, rend notamment ce programme possible.

Soulac-sur-Mer★

E1

À la fin du 19ᵉ s., la grande vague des bains de mer fit pousser à Soulac des centaines de maisons de poupée qui donnent un charme fou à la station. La mer est là, à quelques pas, de même que la forêt : farniente sur la plage et balades sous les pins en perspective.

La **rue de la Plage**, entre la **basilique** et le front de mer, est l'axe central : piétonnière, vous y trouverez les commerces, dont le marché couvert. Autour du centre-ville s'éparpillent **les villas** 19ᵉ s., qui allient brique et bois, et les chalets du 20ᵉ s., formant un ensemble architectural harmonieux. Du front de mer, vous pourrez rejoindre, à l'ouest, le **musée d'Art et d'Archéologie** *(1 av. El Burgo-de-Osma -* 🕿 *05 56 09 83 99 -* ♿ *- juil.-août : apr.-midi ; avr.-juin et de déb. sept. à mi-sept. : apr.-midi sf merc. - fermé de mi-sept. à fin mars - 2,35 €)* et à l'est, le **mémorial de la Forteresse** *(*🕿 *05 56 73 63 60 - http://perso.orange. fr/vincent.mari - juil.-août : mar., vend. et sam. 10h-12h, 17h-19h ; le reste de l'année sur RV - musée 3 €, sites historiques 6 €, musée et sites 7 €).*

Soulac est relativement protégée de la houle par un banc en haut fond, cependant les **quatre plages** sont surveillées. Comme sur toute la côte atlantique, la station est idéale pour tous les sports nautiques de glisse. Du quartier de l'Amélie, vous pouvez accéder à la plage centrale à vélo par une piste cyclable *(3,5 km).*

La plage de Lacanau.

Pointe de Grave

E1

Face à Royan, la pointe de Grave (sur la commune du Verdon-sur-Mer) est le cap formé par l'estuaire de la Gironde où prennent fin, au nord, la forêt de pins et les plages de sable des Landes.

Un **monument commémoratif** remplace la pyramide de 75 m qui rappelait le débarquement des troupes américaines en 1917 et que les Allemands abattirent en 1942. La pointe fut l'une des poches où se retranchèrent, après le débarquement de 1944, les forces allemandes stationnées dans l'ouest ; elle ne fut réduite qu'en avril 1945. Du haut de la dune, sur un ancien blockhaus, le **panorama**★ embrasse un vaste horizon marin : le phare de Cordouan distant de 9 km en mer, la presqu'île et le phare de la Coubre, les conches de Royan, la Gironde, les installations portuaires du Verdon. Dans le phare de la pointe de Grave est installé le **musée du Phare de Cordouan** (*05 56 09 00 25 - www. littoral33.com/cordouan/* - & - juil.-août : 11h-19h ; mai-juin et sept.-oct. : lun., vend., w.-end. et j.fériés 14h-18h ; reste de l'année : sur RV - 2,50 €). Des photographies mettent en valeur la richesse architecturale de l'édifice et donnent un aperçu de la vie de ses gardiens. Sont également exposées les maquettes des six phares de Gironde. De la plate-forme *(108 marches)*, vue splendide sur l'estuaire. De **Port-Bloc** partent les promenades en mer. Plus au sud, un nouveau port de plaisance, **Port-Médoc**, a été aménagé.

Phare de Cordouan★★

D1 - *05 56 09 62 93 - www. vedettelaboheme.com - durée de la sortie (3h30) depuis la pointe de Grave, avr.-oct., en fonction des marées et des conditions climatiques - fermé nov.-mars - 32 € comprenant traversée en bateau et entrée du phare.*

Avec ses étages Renaissance, qu'une balustrade sépare du couronnement classique, le phare (67,5 m) donne une impression de hardiesse. Une poterne conduit au bastion circulaire qui protège l'édifice des fureurs de l'océan ; c'est là qu'habitent les gardiens du phare. Au rez-de-chaussée, un portail monumental donne sur l'escalier de 311 marches qui grimpe à la lanterne. Au premier étage se trouve l'appartement du Roi ; le deuxième étage abrite la chapelle coiffée d'une belle coupole.

Hourtin

E3

Le village d'Hourtin, où se tient un marché traditionnel le jeudi matin (ainsi que les mardis et samedis en saison), est distant de 11,5 km d'**Hourtin-Plage**. La station balnéaire, organisée autour de l'avenue principale qui débouche sur l'océan, est surtout animée en saison, quand le temps se prête à la baignade. Une piste cyclable relie les deux sites. Au lieu-dit du **Contaut**, une passerelle (surveillez les enfants) serpente au sein d'une végétation dense, dans le site lacustre protégé de la lagune. Vous pouvez suivre seul ce sentier ponctué de panneaux, ou vous inscrire à une visite naturaliste.

Lac d'Hourtin★

E3-4

Ce lac sauvage et solitaire couvre une superficie de plus de 6 000 ha. Plus grand lac d'eau douce en France, il est bordé de marais au nord et de quelques tronçons sablonneux sur la rive est. Des dunes, hautes de plus de 60 m par endroits, longent la rive ouest. Le **rivage du lac d'Hourtin** est classé « espace naturel sensible » afin de protéger cette zone composée de pinède, landes, prairies et marais, qui renferme une flore et une faune variées. Tête de la « route » des lacs et canaux du Sud-Ouest, Hourtin accueille les bateaux de plaisance avec le développement de **Hourtin-Port** doté de 500 anneaux d'amarrage. Voile, planche à voile, canoë, pédalo…, tous les moyens sont bons pour profiter du lac ! Les prestataires se trouvent à Hourtin-Port, à Maubuisson et à Piqueyrot. Les plages aménagées près de ces bases nautiques sont surveillées en saison.

Carcans-Maubuisson

E4

La station balnéaire de **Carcans-Océan** compte deux plages surveillées et un spot pour les surfeurs. Des animations et activités y sont organisées pour les enfants pendant les vacances de Pâques et l'été.

À 4,5 km vers l'intérieur se trouve **Maubuisson**, d'où l'on accède au lac d'Hourtin. Dans une maison en brique, à proximité de l'office de tourisme, est installé le **musée des Arts et Traditions populaires de la Lande médocaine**, consacré à la forêt landaise. *05 56 03 41 96 - & - de mi-juin à mi-sept. : mar.-jeu. 10h-12h, 16h30-18h30 - 2 €.*

Lacanau-Océan

D4

Face à l'Océan, la station s'est développée au pied des dunes couvertes de pins maritimes. Aucune excuse donc pour ne pas se balader dans les « lèdes » (vallons sablonneux parcourus de futaies) et sur les 14 km de plages. Pour les dynamiques, 120 km de pistes cyclables longent la côte dans la pinède. Plusieurs *spots* de surf réputés aussi : plage Centrale, Nord, Sud et Super Sud (à choisir en fonction des déplacements de bancs de sable). Et encore, trois parcours de golf dont un de 18 trous *(p. 8).*

Lac de Lacanau★

E5

2 000 ha pour 8 km de long. Nombreux brochets, anguilles et perches à taquiner de l'hameçon. Deux plages surveillées (le Moutchic, au nord, et la Grande Escoure, au sud-ouest) et toutes les possibilités de distractions nautiques : voile, planche à voile, ski nautique, canoë-kayak, location de bateaux, dériveurs et pédalos.

Vous pouvez faire le tour du lac à pied ou à vélo (entre Lacanau et Les Nerps).

Le bassin d'Arcachon★★

Mer ou étang, lac ou océan ? Le bassin est une échancrure dans la longue Côte d'Argent, une lagune (vaste vivier pour les pêcheurs) sertie par la forêt, autrefois domaine des résiniers. Il est difficile de résister à cet univers entre deux eaux : l'eau douce de l'Eyre et le sel des marées. Les oiseaux, les bateaux colorés, les sites naturels protégés, tout incite à faire le tour de ce morceau de mer pris sur la terre.

➜**Accès :** de La Teste à Lanton, les communes sont accessibles, le plus rapidement, par l'A 63 et l'A 660, au départ de Bordeaux. Pour le nord et l'ouest du bassin (d'Andernos au Cap-Ferret), optez pour la D 106 (direction aéroport Mérignac/Cap-Ferret). Évitez les heures de pointe. Utilisez la Carte Michelin Départements n° 335 *(nous donnons ci-dessous en rouge les coordonnées cartographiques de chaque site).*
La ligne 601 du réseau de bus TransGironde dessert le bassin (♿ p. 12).
➜**Conseils :** dégustez des huîtres côté bassin et affrontez les vagues de l'Océan. Depuis le phare du Cap-Ferret, admirez villas et pinède de la presqu'île, et, depuis la dune du Pilat, l'étendue verte des Landes à l'est et celle, bleue, de l'Atlantique à l'ouest. Offrez-vous une traversée en bateau et dînez les pieds dans l'eau.

Cap-Ferret★

D7

Cette station balnéaire est située sur l'étroite bande de terre entre Océan et bassin. Le cap court sur une vingtaine de kilomètres. Balades à vélo dans la pinède (piste cyclable en forêt de Lège), baignades au calme dans le bassin ou plus houleuses côté Océan (plages de l'Horizon et du Truc Vert au Cap-Ferret, du Grand Crohot à Lège surveillées en saison), dégustation d'huîtres dans les petits restaurants en plein air (près du débarcadère de Bélisaire)… un vrai programme de vacances.
Un **sentier d'interprétation** a été aménagé entre la plage de l'Horizon et la pointe du Cap-Ferret. La **dune** est un espace naturel protégé, vous pourrez suivre des visites naturalistes

de découverte du site et sur la migration des oiseaux.
Phare – ℘ 05 56 03 94 49 - www.ville-lege-capferret.fr - *juil.-août : 10h-19h30 ; avr.-juin et sept. : 10h-12h30, 14h-18h ; reste de l'année : merc.-dim. 14h-17h - 4,50 € (-12 ans 3 €).* De ses 53 m de haut, il veille la nuit sur l'Océan et l'étroite passe d'entrée dans le bassin (3 km de large). Sa lentille tournante porte à 50 km. À l'intérieur, l'univers de la presqu'île et du phare sont présentés à travers un spectacle audiovisuel et une galerie d'écrans. Le **panorama★** sur la presqu'île, le bassin, la dune du Pilat, les passes d'entrée et l'Océan vaut la montée des 258 marches, courage !
Le long de la presqu'île, la route se faufile entre des dunes boisées, parsemées de villas. L'air sent le pin et la marée.

Cabanes d'ostréiculteurs.

L'Herbe★

D7

Il y a 150 ans, Léon Lesca, constructeur du port d'Alger, fit bâtir une demeure mauresque : la **villa algérienne**. Il ne reste de cette « folie » que l'anachronique chapelle face à la mer, portant la croix et le croissant ! Jolie vue sur le bassin et l'île aux Oiseaux. Empruntez la rue semi-piétonnière pour rejoindre le **village ostréicole★** où les cabanes rivalisent de couleurs.

Les **villages ostréicoles** du Cap-Ferret, de l'Herbe, du Canon, du Piraillan, de Piquey et des Jacquets sont inscrits à l'inventaire des sites classés : c'est dire l'intérêt qu'ils suscitent et l'attention qu'on leur prête.

Arès

E6

Petite station balnéaire avec port ostréicole et port de plaisance. Sur le front de mer (près de l'office de tourisme), la tour ronde est le reste d'un ancien **moulin** à vent décapité au 19ᵉ s. pour échapper aux taxes !

Les familles se rendront au plan d'eau de St-Brice pour la baignade.

Le **sentier du littoral** rejoint la plage des Quinconces à Andernos.

D'Arès à Biganos défile le décor immuable des pins.

Andernos-les-Bains

E6

Abrité au fond du bassin, le site a été habité dès la préhistoire. Avec ses 4,6 km de plages et son casino, c'est une importante station balnéaire, très animée en saison.

Dans le centre-ville, la **maison Louis-David** (villa 19ᵉ s.), qui abrite un petit musée (objets découverts sur les vestiges d'une villa gallo-romaine) et des expositions artistiques temporaires, vaut le coup d'œil *(avr.-sept. : 10h-19h)*. Devant la plage et à côté de la petite **église St-Éloi** (abside du 11ᵉ s.), vestiges d'une villa gallo-romaine du 4ᵉ s. De la **jetée** (la plus longue de France, avec ses 232 m !), belle vue sur le bassin d'Arcachon, le port ostréicole, le port de plaisance et l'ensemble des plages. Deux petits circuits permettent d'admirer les villas anciennes de la station *(documentation disponible à l'office de tourisme)*.

Lanton

E6

Cette commune comprend **Taussat** avec sa plage et son charmant port ostréicole, et Cassy où se trouvent également des cabanes à huîtres.

Dans le bourg de Lanton, jolie **église** romane (12ᵉ s.) dont l'abside surélevée présente des lignes sobres et harmonieuses. Baie centrale encadrée de colonnettes géminées supportant des chapiteaux ornés, à gauche, de hérons et de pommes de pin, à droite, de feuillages stylisés.

Audenge

E6

Centre ostréicole, le village est aussi connu pour le **domaine des Certes**, site préservé de 396 ha où l'on chemine le long d'un sentier d'interprétation, d'écluses en prairies marécageuses et de zones agricoles, jumelles au cou ! La balade *(15 km AR, parking devant le château des Certes, avant d'arriver à Audenge)* permet de découvrir cette partie du delta de la Leyre qui a été endiguée au 18e s. La faible rentabilité des salines a entraîné leur reconversion en réservoirs à poissons au 19e s. La faune et la flore y sont donc riches et variées : pour les apprécier pleinement, suivez une visite naturaliste, qui vous permettra également de découvrir le domaine voisin de **Graveyron**.

Biganos

F7

Le joli petit port ostréicole de Biganos, qui fait partie du Parc naturel régional des Landes de Gascogne, se niche dans la forêt (aire de pique-nique sous les arbres). À la sortie de la ville, vous pourrez goûter au **caviar** de Gironde au Moulin de la Cassadotte.
Le sentier du littoral traverse, sur une ceinture de digues, le **delta de l'Eyre**, situé entre les deux bras principaux de la rivière et refuge d'une avifaune abondante.

Parc ornithologique du Teich★

E7 - ℰ 05 56 22 80 93 - www.parc-ornithologique-du-teich.com - juil.-août : 10h-20h ; de mi-avr. à juin et 1re quinzaine de sept. : 10h-19h ; reste de l'année : 10h-18h - 7 €.
Cette réserve naturelle de 120 ha contribue à sauvegarder les espèces d'oiseaux sauvages menacées et à préserver leur milieu naturel. Vous pouvez y découvrir l'avifaune européenne en sillonnant les quatre parcs à thème : le parc des Artigues, le parc de la Moulette, le parc de Causseyre et le parc Claude-Quancard. On a le choix entre plusieurs parcours pédestres, le plus grand atteignant 6 km ; tous sont fléchés et jalonnés de postes d'observation surélevés permettant au regard d'embrasser le bassin d'Arcachon. Jumelles recommandées.

Gujan-Mestras

E7

Constituée de sept ports ostréicoles, Gujan-Mestras est la capitale de l'huître du bassin d'Arcachon avec ses cabanes à toiture de tuiles, ses chenaux encombrés de pinasses, ses dégorgeoirs et ses magasins d'expédition-vente. Le **port de Larros**, où il fait bon flâner sur la jetée-promenade, accueille des chantiers de construction navale.
Maison de l'huître – *Port de Larros - ℰ 05 56 66 23 71 - www.maisondelhuitre. com - ఉ - visite libre ou guidée (45mn) - juil.-août : 10h-12h, 14h30-18h ; reste de l'année : lun.-sam. 10h-12h, 14h30-18h - fermé du 25 déc. à déb. janv. et dim. de sept. à juin - 4,50 €.* Le nouveau musée a doublé sa superficie et accueille une scénographie moderne et interactive. Ici, vous pourrez vous initier à la culture de l'huître, de la préparation des collecteurs à la consommation, à travers un film *(15mn)* et une exposition ludique (divers supports sont à manipuler). Découvrez ainsi la longue histoire de l'huître et

l'appétit qu'elle suscitait déjà chez nos ancêtres, les différentes variétés à travers le monde, l'évolution des savoir-faire et les mille et une façons de la cuisiner… Après ça, vous serez incollable.

La Hume offre une agréable plage et une zone de **parc de loisirs** *(le long de la D 652)* pour tous les goûts, les âges et les envies.

La Teste-de-Buch

E7

Ancienne capitale du pays de Buch, peuplée par les Boii ou Boiens avant la colonisation romaine (c'est ainsi que l'on dénomme encore les habitants de Biganos), elle est l'une des plus vastes communes de France (18 000 ha) et offre trois profils différents.

Côté bassin : le complexe ostréicole et ses cabanes à huîtres. Le sentier du littoral permet de longer les **prés salés** (départ de la digue est). Visites guidées en saison.

Dans le bourg, sur la place Jean-Hameau (où se trouve l'office de tourisme), la façade de la **maison Lalanne** (18ᵉ s.) est décorée d'une ancre, de cordages et de têtes représentant les enfants du propriétaire.

Côté mer, de belles plages au Pyla-sur-Mer et bien sûr… la **dune du Pilat** et le **banc d'Arguin**.

Enfin vous pourrez rejoindre le **lac de Cazaux** à travers la forêt, en voiture ou à vélo (piste cyclable), pour la baignade ou les activités nautiques.

En cours de route, le **zoo du Bassin d'Arcachon** ravira les amateurs de fauves et autres grands mammifères des cinq continents. ☎ *05 56 54 71 44 - www. zoodubassindarcachon.com - de déb. avr. à mi-sept. : 10h-19h ; de mi-sept. à mi-nov. : merc., w.-end et vac. scol. 14h-18h ; de mi-nov. à déc. : se renseigner - fermé 1ᵉʳ janv. et 25 déc. - 13 €.*

Dune du Pilat★★

D7 - *Accès par la D 218 au sud de Pilat-Plage. Laisser la voiture au parking payant. Pour gagner le sommet, escalader à flanc de dune (montée assez difficile) ou emprunter l'escalier (présent seulement lors de la saison estivale). Attention, le sable peut être très chaud.*

Énorme ventre de sable qui enfle chaque année sous l'action des vents et des courants (actuellement environ 2,7 km de long, 500 m de large et 105 m de haut, soit 60 millions de mètres cubes de sable !), c'est la plus haute dune d'Europe. Le versant ouest descend en pente douce vers l'Océan alors que le versant est plonge en pente abrupte vers l'immense forêt de pins : une vraie piste noire ! Une balade revigorante à ne pas manquer.

Au Cap-Ferret.

Arcachon★★

Des senteurs balsamiques d'océan et de pin. Un air de vacances les pieds dans l'eau, l'épuisette à la main. Une pincée de snobisme. Des villas éclectiques, plantées au cœur des bois. Un parfum d'autrefois… Plus n'est besoin de faire la réputation d'Arcachon, belle aux quatre saisons, née de l'imagination hallucinée de pionniers audacieux. Elle a ses fidèles, ses inconditionnels. Elle sait les retenir et les faire revenir.

→**Accès :** Arcachon est desservie par le train et accessible, en voiture, par l'A 63 et l'A 660. Utilisez la Carte Michelin Départements n° 335 D-E 7.

→**Conseil :** Arcachon, une croisière et l'Océan dans la journée, c'est possible : de Bordeaux, gagnez la cité balnéaire en train le matin, flânez puis rejoignez le cap en bateau l'après-midi, profitez des plages et, le soir, rentrez directement en bus !

Le front de mer ou la ville d'été★

À la fois détendue aux terrasses des restaurants de fruits de mer, mondaine dans son casino ou sportive lors des régates à la voile, la ville d'été, qui occupe une position centrale, longe la mer entre la jetée de la Chapelle et la jetée d'Eyrac. La jetée Thiers (embarcadère pour les promenades en mer dans le bassin d'Arcachon) a conservé son style rétro. De part et d'autre, les promeneurs affluent dès le début de soirée.

Musée-aquarium d'Arcachon – *2 r. du Professeur-Jolyet -* 📞 *05 56 83 33 32 - juil.-août : 9h45-12h15, 13h45-19h ; mars-juin et sept.-oct. : lun.-vend. 9h45-12h15, 13h45-18h30, sam. : 14h-18h - 4,85 €.* L'aquarium, à l'entresol, présente les animaux marins les plus représentatifs du bassin et du proche Océan. À l'étage, collections d'oiseaux, de reptiles, de poissons et d'invertébrés divers de la région, section

réservée aux huîtres, produit de fouilles archéologiques locales.

Jetée Thiers – De cette jetée, **vue★** d'ensemble sur le bassin et la station. Les stars de la marine ne sont pas oubliées : Tabarly, Florence Arthaud, Yves Parlier, et bien d'autres, ont imprimé leur pied dans le bronze. Suivez-les sur la **chaussée des Pieds marins**, près de la jetée Thiers.

Sur la jetée de la Chapelle s'élève la **croix des Marins**. Remontant la rue, vous arrivez à la **basilique Notre-Dame**, du 19e s. À l'intérieur, la **chapelle des Marins** est tapissée d'ex-voto, offerts par des marins sauvés des eaux. Rejoignez le **boulevard de la Mer★**, à l'ouest, quittant la ville d'été pour celle de printemps. Face au Cap-Ferret, il est bordé de pins et de sable.

Le long de la **plage Pereire** court une agréable promenade piétonne ombragée *(3 km)*. Vous pouvez pousser jusqu'au **Moulleau**, pour voir la surprenante église perchée sur une butte.

La ville d'hiver★

En retrait de la ville d'été, elle est bien abritée des vents du large. La paisible vieille dame chic et excentrique est tout en dentelle festonnée, sur les pignons, les balcons, les escaliers extérieurs et les vérandas. Ses belles artères jalonnées de villas fin 19e s.-déb. 20e s. sillonnent une forêt de pins. C'est l'endroit le plus reposant d'Arcachon.

Parc mauresque – Regroupant de nombreuses essences exotiques, il s'ouvre sur la ville et le bassin d'Arcachon.

Observatoire Sainte-Cécile – *Si vous avez le vertige, évitez l'ascension à la plate-forme.* Construction à charpente métallique due à Gustave Eiffel, l'observatoire est accessible par une passerelle franchissant l'allée Pasteur. De la plate-forme, **vue** sur la ville d'hiver, Arcachon et le bassin.

Villas – Chalets à pans de bois, suisse ou basque, cottage anglais, villa mauresque, manoir néogothique ou maison coloniale, les architectes s'en sont donné à cœur joie ! Les villas sont pour la plupart construites sur le même plan : un étage de service en partie excavé, un rez-de-chaussée surélevé, réservé aux pièces de réception et au salon-véranda ; à l'étage supérieur, les chambres de maître.

Allée Rebsomen – La villa Theresa (n° 4) est devenue l'hôtel Sémiramis.

Allée Corrigan – On y voit la villa Walkyrie (n° 12), l'hôtel de la Forêt, la villa Vincenette (n° 16) avec son bow-window garni de vitraux.

Allée Dr.-F.-Lalesque – Villas L'Oasis, Carmen (n° 14) et Navara.

Angle de la rue Velpeau et de l'allée Marie-Christine – Villa Maraquita (n° 8).

Allée du Moulin-Rouge – La villa Toledo (n° 7) possède un superbe escalier en bois découpé ; il s'agit de l'ancien gymnase Bertini.

Allée Faust – Villas Athéna, Fragonard, Coulaine, Graigcrostan (n° 6), Faust et Siebel.

Allée Brémontier – Villas Brémontier (n° 1), avec tourelle et balcon, Glenstrae (n° 4) et Sylvabelle (n° 9).

Allée du Dr.-Festal – Villas Trocadéro (au n° 6) et Monaco.

Allée Pasteur – Villas Montesquieu et Myriam. À l'angle des allées Pasteur et Alexandre-Dumas se trouve la villa Alexandre-Dumas (n° 7).

La ville d'automne

À l'est, Arcachon revêt sa vareuse. C'est son côté maritime, avec son port de plaisance où s'alignent les voiliers et son port de pêche où vont et viennent les chalutiers.

La ville de printemps

Sportive (tennis, piscine, fronton) et cossue, elle tient ses quartiers à proximité du **parc Pereire**. À l'extrémité sud, les Arbousiers sont LE spot des surfers. La **source des Abatilles** (dans le quartier du même nom), qui jaillit à 465 m de profondeur, donne un très bon cru d'eau minérale, en vente dans le commerce.

Les chais du Château Mouton Rothschild.

A. Thuillier / MI

Pour en savoir plus

Histoire

La cité des « rois du monde »

Burdigala est fondée par une tribu celte au 3ᵉ s. avant J.-C., les Bituriges vivisques. Leurs noms signifient « rois du monde », rien de moins !

Au 7ᵉ s., le bon **roi Dagobert** crée un duché d'Aquitaine dont Bordeaux est la capitale. L'un des ducs d'Aquitaine, le mythique **Huon de Bordeaux**, est resté célèbre. Ayant occis, sans le connaître, l'un des fils de Charlemagne, il est condamné à l'exil. Après moult aventures, il épouse la fille de l'émir de Babylone. Une chanson de geste (13ᵉ s.) reprit ce thème en or pour broder d'étonnantes péripéties : afin de gagner son pardon, Huon doit se rendre à Babylone, couper la barbe de l'émir, lui arracher quatre molaires et rapporter le tout à l'empereur. Exploit couronné de succès, bien entendu, et cela grâce au roi des elfes Obéron.

La dot d'Aliénor

En 1137, Louis, fils du roi de France, épouse Aliénor d'Aquitaine, qui lui apporte en dot le duché d'Aquitaine, le Périgord, le Limousin, le Poitou, l'Angoumois, la Saintonge, la Gascogne et la suzeraineté sur l'Auvergne ainsi que sur le comté de Toulouse. Le mariage a lieu dans la cathédrale de Bordeaux (St-André). Le couple est mal assorti. Louis, devenu le roi Louis VII, est une sorte de moine couronné, la reine est frivole. Après quinze années de vie conjugale, le roi, à son retour de croisade, fait prononcer son divorce (1152). Outre sa liberté, Aliénor recouvre sa dot. Son remariage, deux mois plus tard, avec Henri Plantagenêt, comte d'Anjou et suzerain du Maine, de la Touraine et duc de la Normandie, est pour les Capétiens une véritable catastrophe politique : les domaines réunis d'Henri et d'Aliénor sont déjà aussi vastes que ceux du roi de France. En 1154, le Plantagenêt devient, par héritage, roi d'Angleterre, sous le nom de Henri II. Cette fois l'équilibre territorial est rompu, et la lutte franco-anglaise qui s'engage durera trois siècles.

La capitale du Prince Noir

Au 14ᵉ s., Bordeaux est la capitale de la **Guyenne**, rattachée depuis deux siècles à la couronne anglaise. Le commerce ne se ralentit pas pendant la guerre de Cent Ans : la ville continue d'exporter ses vins en Angleterre et fournit des armes à tous les belligérants. Le Prince Noir (fils du roi d'Angleterre Edouard III), ainsi nommé à cause de la couleur de son armure, y établit son quartier général et sa cour. C'est l'un des meilleurs capitaines de son temps et l'un des plus féroces pillards. Il répand la terreur tour à tour sur le Languedoc, le Limousin, l'Auvergne, le Berry et le Poitou. Atteint d'hydropisie, l'héritier anglais meurt sans avoir pu régner ailleurs qu'à Bordeaux. En 1453, la ville est reprise définitivement par l'armée royale française avec toute la Guyenne. C'est la fin de la guerre de Cent Ans.

Le Bordeaux des intendants

C'est Richelieu qui, le premier, a installé dans les provinces ces hauts représentants du pouvoir central et Colbert qui a mis l'organisation au point. D'une cité aux rues étroites et tortueuses, entourée de marais, Claude Boucher, le marquis de Tourny, et Dupré de St-Maur font au 18e s. l'une des plus belles villes de France, aux solides constructions de pierre. Alors apparaissent les grandioses ensembles que forment les quais, la place de la Bourse, les allées de Tourny, des monuments comme l'hôtel de ville, le Grand Théâtre, l'hôtel des Douanes, l'hôtel de la Bourse, des plantations comme les cours et le Jardin public. Bordeaux exploite au maximum les avantages de sa situation atlantique et devient le premier port du royaume.

Des hauts et des bas

La ville fait grise mine à l'Empire, car son commerce maritime est profondément atteint par le blocus commercial entre le Royaume-Uni et l'Europe. Elle retrouve le sourire sous la Restauration. Le grand pont de Pierre et l'immense esplanade des Quinconces datent de cette époque. Sous le Second Empire, le commerce continue à se développer grâce à l'amélioration des communications et à l'assainissement des Landes. En 1870, en 1914 devant l'offensive allemande et en 1940, Bordeaux sert de refuge au gouvernement. On la dit « capitale tragique ». À la fin de la Seconde Guerre mondiale, la cité du 18e s. retrouve le dynamisme de ses armateurs, financiers et négociants d'autrefois.

Un ancien grand port

Sur la Garonne, Bordeaux (à 98 km de l'embouchure de la Gironde) occupe la situation privilégiée de « ville de premier pont » et, par la vallée de la Garonne et le seuil de Naurouze (franchi par le canal du Midi), commande la plus courte liaison continentale Atlantique-Méditerranée. L'exportation du claret (◖ encadré p. 76) au temps de la domination anglaise ainsi que le trafic des denrées et des esclaves en provenance des « Isles » au 18e s. avaient déterminé son dynamisme portuaire. Aujourd'hui, le port de Bordeaux *intra-muros*, qui a vu décliner ses activités au bénéfice du Verdon, a déménagé vers l'aval.

103

Urbanisme

Le port romain

Fondée au 3ᵉ s. av. J.-C., Burdigala prend la forme d'une ville lorsque, colonisée par les Romains, ceux-ci percent son *cardo* et son *decumanus*, axes majeurs de la cité commerçante, et aménagent un **port** à l'embouchure de la Devèze : la rivière a depuis été transformée en rue (de la Devise) et l'embouchure en place (St-Pierre). La ville compte alors 25 000 habitants.

La cité médiévale

Au 3ᵉ s., Bordeaux s'entoure de **murs** qui, durant 1 000 ans, freineront sa croissance. Tracés sur les actuels cours de l'Intendance et du Chapeau-Rouge, ils ne seront repoussés qu'en 1220 et doublés d'une seconde enceinte en 1327. La cité gothique abrite 30 000 âmes.

La ville planifiée des intendants (18ᵉ s.)

Le 18ᵉ s. marque un **tournant** dans l'organisation de la cité, profondément revue et modifiée par les **intendants** du roi. Des allées plantées d'arbres, des jardins et de vastes places, reliées entre elles par de larges avenues bordées de façades ordonnancées, donnent son éclat à Bordeaux. 60 000 personnes habitent alors la ville des Lumières.

19ᵉ et 20ᵉ s. : la conquête des territoires

Construit en 1822, le pont de Pierre accélère l'urbanisation de la **rive droite**, qui s'industrialise. Bordeaux est modernisée (réseaux d'égouts et de gaz) et ceinturée de **boulevards** au 19ᵉ s., puis bâtie de grands ensembles à sa périphérie et **sauvegardée** en son sein après la Seconde Guerre mondiale. En 1966, la toute nouvelle communauté urbaine compte 600 000 habitants.

21ᵉ s. : une ville en mutation

Avec l'arrivée du **tramway**, c'est tout un programme de réhabilitation des rues qui a été mis en œuvre (centre piétonnier), parallèlement à un plan de sauvegarde du patrimoine architectural (façades nettoyées). Les places de la Comédie, Pey-Berland et de la Victoire ont fait peau neuve ; celle de la Bourse se reflète désormais dans un miroir d'eau, et celle des Quinconces sera recouverte d'une pelouse. Sur la rive gauche, les **quais** (4,5 km de long sur 80 m de large) ont été aménagés afin que piétons, cyclistes, tramways et automobilistes circulent harmonieusement. Différentes escales paysagées et sportives agrémentent le parcours ; déjà les Bordelais redécouvrent les bords du fleuve qui deviennent le cadre de manifestations, et où des guinguettes font leur apparition. En 2007, le port de la Lune a été inscrit au **Patrimoine mondial de l'UNESCO.**

Le vignoble bordelais

Histoire locale de la vigne

La vigne, présente dès la conquête romaine, ne s'est vraiment développée qu'à partir du 4e s. Mais ce sont les trois siècles de domination anglaise, du 12e au 14e s., qui ont pérennisé la réputation des vins de Bordeaux au-delà des mers. Les vins clarets appréciés en Europe du Nord n'avaient sans doute pas grand-chose à voir avec les bordeaux d'aujourd'hui, mais ils n'en ont pas moins assuré la prospérité d'une région à laquelle se sont intéressés, dès la Renaissance, les marchands hanséatiques de Hollande et d'Allemagne. Bordeaux doit en effet son succès tout autant à ses terroirs et à son climat qu'à ces marchands venus du froid qui ont mis en place un système encore en vigueur aujourd'hui, fondé sur la trilogie négoce, propriété, courtage. Les premiers vendent, les deuxièmes produisent et les troisièmes servent d'intermédiaire entre les deux premiers. Le 18e s. est l'âge d'or de Bordeaux, avec l'**institution des crus**, délimités autour des principaux villages, et des châteaux, bâtis sur la prospérité viticole. Ainsi naît une « aristocratie du bouchon » qui, faute de blason, va acquérir ses titres sous le Second Empire grâce au fameux **classement de 1855**, véritable privilège héréditaire transmis non aux hommes, mais aux châteaux.
Victime, comme les autres vignobles, du phylloxéra et autres calamités naturelles, le vignoble bordelais n'en a pas moins survécu avec brio, insolence même, si l'on en juge par le prix actuel des grands crus dans un contexte que d'autres jugent morose. Et même si des réformes sont nécessaires pour faire face à la concurrence des vins du Nouveau Monde, Bordeaux porte encore avec fierté la couleur de la perfection.

Les régions viticoles du Bordelais

De l'estuaire de la Gironde aux rives de la Garonne et de la Dordogne, le Bordelais s'étend en une immense terre viticole. Étiré le long des fleuves, étoilé autour de la grande ville, le vignoble est un maillage serré et savant de 112 000 ha de terres de caractère.

Les côtes-de-bordeaux
Superficie – 4 068 ha (dont 3 400 en premières-côtes-de-bordeaux). L'aire est implantée sur des sols de graves cailouteuses, des terres argilo-calcaires ou argilo-graveleuses.
AOC premières-côtes-de-bordeaux – Cépages merlot, cabernet-sauvignon, cabernet franc et malbec pour les rouges (93 % de la production) ; cépages sauvignon, sémillon et muscadelle pour les blancs moelleux.
AOC côtes-de-bordeaux-saint-macaire, cadillac, loupiac, sainte-croix-du-mont – Cépages sémillon, sauvignon et muscadelle pour les blancs liquoreux.

Le Médoc

Superficie – 16 371 ha. Le terroir est principalement constitué de croupes graveleuses (sables, graviers et galets) dont la pente est tournée vers la Gironde.

Si les graviers déposés par la Gironde ne constituent pas en eux-mêmes un sol très fertile, ils ont la propriété d'emmagasiner la chaleur diurne et de la restituer au cours de la nuit, évitant ainsi la plupart des gelées printanières. D'autre part, les vallons encaissés que parcourent les *jalles*, perpendiculaires à la Gironde, facilitent l'écoulement des eaux et permettent de varier les expositions. Le climat bénéficie, d'un côté, de la Gironde dont la masse d'eau joue un rôle adoucissant et de l'autre, de l'écran protecteur que forme la pinède landaise face aux vents marins.

AOC médoc et haut-médoc (appellations régionales)**, moulis, listrac, saint-estèphe, pauillac, saint-julien, margaux** (appellations communales) – Cépages cabernet-sauvignon, merlot, cabernet franc, petit verdot et malbec.

Les graves

Superficie – 3 800 ha de graves, 1 639 ha de pessac-léognan, 2 000 ha de sauternes. Ce sont les croupes graveleuses bien drainées, résultant de l'érosion pyrénéenne, qui ont permis de créer au Moyen Âge le vignoble le plus proche de Bordeaux.

La région produit des vins rouges et blancs de grande qualité.

AOC graves, graves supérieures et **pessac-léognan** – Cépages cabernet-sauvignon, merlot, cabernet franc, malbec et petit verdot pour les rouges puissants, cépages sauvignon, sémillon et muscadelle pour les blancs secs.

AOC sauternes, barsac et cérons – Cépages sémillon essentiellement, sauvignon et muscadelle pour les blancs liquoreux.

Les vins blancs liquoreux des AOC sauternes et barsac ont les mêmes qualités. Les grains de raisin, parvenus à maturité, ne sont pas cueillis aussitôt, afin qu'ils puissent subir la « pourriture noble », causée par le *Botrytis cinerea*, favorisé par l'humidité montant du Ciron. Ce sont les enzymes de cette moisissure qui concentrent les sucres de la baie de raisin. Ces grains « confits » sont alors détachés un par un, puis pressés.

L'entre-deux-mers

Superficie – 2 710 ha, dont 1 700 sont consacrés aux vins blancs secs. Ici, les sols sont à prédominance argileuse.

AOC entre-deux-mers et entre-deux-mers haut-benauge – Cépages sémillon, sauvignon, muscadelle pour les vins blancs secs.

AOC sainte-foy-de-bordeaux – Cépages sémillon, sauvignon, muscadelle pour les vins blancs secs et moelleux, cépages cabernet-sauvignon, cabernet franc, merlot, malbec et petit verdot pour les rouges.

AOC graves-de-vayres – Cépages cabernet-sauvignon, cabernet franc, malbec, petit verdot, carmenère et merlot pour les rouges assez charpentés, cépages sémillon, muscadelle et merlot blanc pour les blancs secs.

Saint-émilion

Superficie – 9451 ha pour les vins de St-Émilion. Les sols des coteaux sont argilo-calcaires ou argilo-sableux en saint-émilion, siliceux, argilo-siliceux ou argilo-graveleux en côtes-de-castillon. Le vignoble de St-Émilion s'étend sur neuf communes. On distingue les **saint-émilion** des **saint-émilion-grand-cru** qui ont fait l'objet d'un classement en 1955. En principe, la distinction n'a rien de géographique. Dans la pratique, les grands crus sont presque tous situés sur le plateau ou en coteau.

AOC saint-émilion, saint-émilion-grand-cru, montagne-saint-émilion, puisseguin-saint-émilion, saint-georges-saint-émilion, lussac-saint-émilion – Cépages cabernet franc, malbec, cabernet-sauvignon et merlot. Les saint-émilion se distinguent par leurs arômes puissants et leur caractère corsé, charpenté.

AOC côtes-de-castillon – Cépages cabernet-sauvignon, cabernet franc, merlot, malbec, petit verdot.

Pomerol et fronsac

Superficie – 3025 ha. Les sols des coteaux sont argilo-calcaires ou argilo-sableux en fronsac, siliceux, argilo-siliceux ou argilo-graveleux en pomerol.

AOC fronsac et canon-fronsac – Cépages cabernet franc, merlot, cabernet-sauvignon et malbec. Des vins fermes et charnus qui s'affinent avec l'âge.

AOC pomerol et lalande-de-pomerol – Cépage merlot essentiellement, et cabernet franc, malbec, cabernet-sauvignon. Les pomerols sont de grands vins prestigieux, d'une couleur profonde, riches et complexes au palais.

Une économie florissante

L'Aquitaine constitue la **première région viticole française en AOC** avec plus de 30 % de la production française. 50 000 salariés permanents et occasionnels vivent du fruit de la vigne, ce qui représente 4 % du PIB régional et 6 % de l'emploi. Sur les 8 millions d'hectolitres produits en moyenne annuellement en Aquitaine, plus de 80 % proviennent de la Gironde. La diversité des produits du vignoble bordelais, premier au monde pour les vins fins, est prodigieuse : 120 000 ha de vignes, 12 000 « châteaux », **57 appellations**. Chaque année, près de 850 millions de bouteilles sont ainsi prêtes à la dégustation. Représentant 40 % du chiffre d'affaires annuel, l'**exportation** constitue un secteur clé pour le vignoble bordelais : en 2006, le volume total des exportations bordelaises atteignait 1,8 million d'hectolitres, pour une valeur de 1,27 milliard d'euros. En tête des pays amateurs de bordeaux, on trouve le Royaume-Uni et la Belgique, puis l'Allemagne, le Japon, les Pays-Bas et les États-Unis. De gros marchés semblent s'ouvrir en Asie du Sud-Est (Chine et Corée du Sud), qui ne représente pour l'heure que 15 % des exportations.

Du raisin au vin

Une profession en mutation

Le viticulteur maîtrise l'élevage de la vigne tout au long de l'année, de la taille au choix délicat de la date des vendanges. Après avoir misé sur le perfectionnement des compétences œnologiques dans les années 1980, les professionnels du vin comptent aujourd'hui beaucoup sur la modernisation de la viticulture, grâce à l'apprentissage de nouvelles technologies. Comme en témoigne l'importance croissante du **salon Vinitech** à Bordeaux, les viticulteurs bénéficient aujourd'hui d'outils de plus en plus performants : de nouveaux tracteurs légers, puissants et adaptables ; des sécateurs munis de batteries en lithium ultralégers ; du matériel de guidage par satellite qui permet de planter avec précision les plants de vigne, en tenant compte des textures et des configurations des sols ; des modes de fertilisation qui s'accompagnent d'un souci de préservation de l'environnement. Autant d'outils qui améliorent aussi bien le confort du vigneron que le rendement de la vigne. Les **compétences du viticulteur** doivent être multiples : outre une parfaite connaissance de la vigne, il doit posséder des notions de pédologie (connaissance des sols), de climatologie, et être capable de sélectionner les meilleurs cépages.

Les vendanges

C'est toute l'année que les viticulteurs sont à pied d'œuvre pour produire un vin de qualité. De janvier à décembre, le vigneron soigne sa vigne par des tailles, des labours, des débourrements, des rognages, des traitements, l'élimination des mauvaises herbes, l'amendement des sols et la sélection des bourgeons. Point d'orgue d'une année de labeur, les vendanges, qui débutent généralement au mois de septembre, donnent une couleur et une ambiance particulières aux vignobles aquitains.

Les vendanges peuvent prendre des formes très différentes selon que les viticulteurs emploient ou non des machines à vendanger. Permettant un net gain de temps, ces machines ne sont cependant utilisées que dans la mesure où leur emploi est compatible avec la qualité du vin. Que les amateurs se rassurent : les vendanges manuelles ont encore de belles heures devant elles. Pour la plupart des grands crus classés, ainsi que sur les vignobles très en pente ou dans le cas de vins liquoreux nécessitant plusieurs « tries » successives, les vendanges ne peuvent s'effectuer qu'**à la main** : chaque coupeur prélève les grappes à l'aide d'un sécateur et les dépose dans un panier ; il décharge ensuite le contenu du panier dans la hotte d'un porteur ; puis le porteur verse la cueillette dans une benne, qui sera tractée jusqu'au chai. Pour limiter les manipulations, on supprime parfois le passage des grappes dans la hotte : la récolte du coupeur passe directement de la cagette dans la benne. La cueillette à la main fait appel à une nombreuse main-d'œuvre saisonnière. Dans le Bordelais, on attend chaque année des milliers de porteurs et de coupeurs.

La **vendange mécanique** ne s'est répandue en France et dans le Bordelais que depuis une trentaine d'années : parmi les secteurs importants de l'agriculture, la viticulture est celui qui s'est mécanisé le plus tardivement. La machine à vendanger enjambe un rang de vigne, la rège, dont elle va recueillir les raisins. Elle est équipée de batteurs à secouage latéral qui détachent les baies de la rafle (grappe de raisin sans ses grains). Une chaîne à godets remonte ensuite les raisins vers un aspirateur qui élimine les feuilles et les pétioles risquant d'altérer le goût du vin ; la vendange tombe enfin dans une benne. Sur une vigne convenablement conduite, la mécanisation de la vendange n'entraîne pas d'effets dommageables. On a par exemple remarqué que les pertes par égrenage étaient à peine supérieures à celles que provoquent les vendangeurs travaillant manuellement. Mais pour ce qui est de la vitesse de travail, elle est multipliée par plus de dix et dépasse 0,5 ha par heure pour des vignes bien palissées et bien taillées. Les détracteurs de ce procédé reprochent à la machine d'écourter la durée de vie des ceps à cause des secousses qui lui sont imprimées ; d'autre part, toute vendange à la machine nécessite un tri, puisqu'elle ramasse indistinctement les raisins pourris comme ceux qui sont sains.

Du raisin au vin

Après les vendanges, le viticulteur peut livrer son raisin à une cave coopérative qui assure les opérations de vinification et de commercialisation. Mais il peut aussi choisir de participer lui-même à la fabrication du vin : il lui faudra alors pressurer ou fouler son raisin, vinifier (c'est-à-dire traiter les moûts pour en faire du vin), chaptaliser (ajouter du sucre) et surveiller les fermentations. Il devra ensuite soutirer le vin (le transvaser pour éliminer les dépôts), le mettre dans des fûts puis en bouteilles. Outre ces aspects techniques, l'exploitant viticole devient de plus en plus un véritable dirigeant et doit acquérir pour cela les savoir-faire spécifiques au management. Ambassadeur de son entreprise auprès du marché et de ses clients, il doit aussi maîtriser les techniques de vente.

Les vins de Bordeaux

Les appellations

Une garantie de qualité – Un « bordeaux » est une appellation générique donnée à tous les vins issus du département de la **Gironde** en tenant compte du caractère de chacun. Ces vins sont des Appellations d'origine contrôlée (AOC) : l'**étiquette** indique clairement la région, la sous-région ou la commune de production.
Enfin, ce ne sont pas seulement la bouteille et le verre qui font preuve de transparence, mais le vin lui-même ! Un gage de qualité précieux pour le consommateur.

Le jeu des sept familles – On distingue sept grandes appellations :
- les bordeaux supérieur et bordeaux ;
- les saint-émilion, pomerols et fronsac ;
- les vins blancs secs ;
- les côtes ;
- les vins blancs moelleux et liquoreux ;
- les médocs et les graves ;
- les rosés, clairet, crémant et fine.
Chacune de ces sept familles réserve encore des subtilités déclinées en différents styles de vins.

Tenir son rang – Une appellation particulière peut être liée au classement : grand cru, premier cru, cru bourgeois…
Le premier classement officiel, calé sur le prix du vin, remonte à 1855 : le premier grand cru classé était le plus cher ; le cinquième grand cru classé le moins onéreux.

Le système qui prévaut aujourd'hui a été fixé en 1973, après quelques modifications apportées au classement de départ : il est désormais révisable en fonction de la qualité du millésime, ce qui pique fortement l'attention des maîtres des lieux.

Les grands crus

Au total, la production se partage entre 75 % de rouges et 25 % de blancs.
La carte des rouges – L'aptitude des vins rouges au vieillissement est remarquable.
À l'élégance des **médocs** (les grands bordeaux rouges), auxquels s'apparentent les **graves rouges** fins et bouquetés, font écho l'arôme puissant et le caractère corsé des **saint-émilion**.
Les **pomerols**, chauds et colorés, rappellent à la fois les médocs et les saint-émilion.
Les **fronsac**, fermes et charnus, plutôt durs en primeur, s'affinent avec l'âge.
Plus en aval, les régions du **Bourgeais** et du **Blayais** sont réputées pour leurs « grands ordinaires », rouges et blancs.
Le vignoble de l'or blanc – Avec une gamme très harmonieuse, les vins blancs ont également une belle réputation. Ici, la place d'honneur revient aux grands vins de **Sauternes** et à ceux de **Barsac**, premiers vins blancs liquoreux du monde, obtenus à partir d'un raisin cueilli grain à grain et à un stade de maturation très particulier : la fameuse « pourriture noble ».

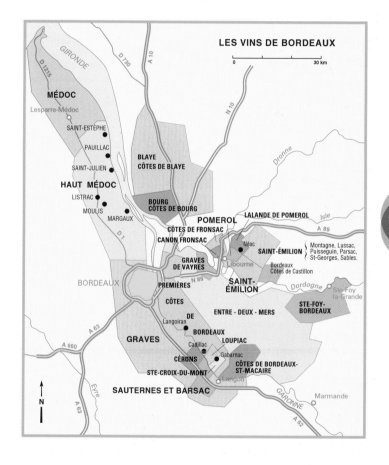

LES VINS DE BORDEAUX

0   30 km

GIRONDE

D 1215

D 730

A 10

MÉDOC

Lesparre-Médoc

SAINT-ESTÈPHE

PAUILLAC

SAINT-JULIEN

BLAYE
CÔTES DE BLAYE

HAUT MÉDOC

LISTRAC

MOULIS

MARGAUX

BOURG
CÔTES DE BOURG

D 1

N 10

Dronne

LALANDE DE POMEROL   Isle

POMEROL

CÔTES DE FRONSAC

CANON FRONSAC

Néac

SAINT-ÉMILION

Montagne, Lussac,
Puisseguin, Parsac,
St-Georges, Sables.

A 89

GRAVES
DE VAYRES

Libourne

Bordeaux
Côtes de Castillon

BORDEAUX

PREMIÈRES

N 89

SAINT-
ÉMILION

Dordogne   Ste-Foy
la-Grande

CÔTES

ENTRE - DEUX - MERS

STE-FOY-
BORDEAUX

DE

Langoiran

BORDEAUX

A 63

GRAVES

Cadillac

LOUPIAC

Gabarnac

A 660

CÉRONS

STE-CROIX-DU-MONT

CÔTES DE BORDEAUX-
ST-MACAIRE

Langon

SAUTERNES ET BARSAC

Eyre

A 63

GARONNE

Marmande

A 62

N
↑

111

Sur la rive opposée de la Garonne, les **sainte-croix-du-mont** et **loupiac** ont aussi gagné leurs galons d'excellence. Radicalement différents au palais, les **graves secs** ont fini par représenter le type du bordeaux blanc, un vin nerveux. Les produits des **vignobles de Créon** forment le trait d'union entre les meilleurs graves et les grands sauternes. Dans les premières **côtes-de-Bordeaux**, le **cadillac** donne des vins blancs veloutés, moelleux, à l'agréable fraîcheur. Enfin, la large région de l'**Entre-Deux-Mers** est une grande productrice de vins blancs secs et de rouges « grands ordinaires ».

Le classement des bordeaux

C'est sous le Second Empire, à l'occasion de la foire-exposition de Paris de **1855**, que les vins de Bordeaux firent l'objet d'un classement. Il tenait surtout compte du prix des vins. Seuls furent classés, à l'époque, les vins du Médoc et de Sauternes, ainsi que le Château Haut-Brion dans les Graves. Le classement du Médoc comprend cinq catégories, celui du Sauternais trois. En **1973**, le classement fut révisé pour ériger le Château Mouton Rothschild au rang de premier cru. Plus tard, les vins du Médoc ont créé la catégorie des crus bourgeois, qui peut être révisée.

En 1955, le saint-émilion s'est doté lui aussi d'un classement, qui a été revu plusieurs fois. Les vins des Graves ont un classement sans catégorie.

S'ils restent globalement valables, ces classements sont régulièrement contestés… par les vignerons mécontents de ne pas en faire partie. Mais le seul vrai classement est celui que le consommateur peut faire en comparant les rapports qualité-prix.

MILLÉSIMES	1996	1997	1998	1999	2000	2001	2002	2003	2004	2005	2006	2007
BORDEAUX BLANC	🍷	🍷	🍷	🍷	🍷	🍷	🍷	🍷	🍷	🍷	🍷	🍷
BORDEAUX ROUGE	🍷	🍷	🍷	🍷	🍷	🍷	🍷	🍷	🍷	🍷	🍷	🍷

Grandes années	🍷
Bonnes années	🍷
Années moyennes	🍷

L'art de la dégustation

L'art de la dégustation

Après la sélection délicate et judicieuse des bons crus, il faut savoir servir le vin en suivant certaines règles qui assurent à l'amateur le meilleur plaisir de bouche. Pour un **vin rouge**, il est conseillé de laisser reposer la bouteille quelques heures à température ambiante (18 à 20 °C) puis de l'ouvrir une heure avant le repas. Un vin rouge de grand âge demande à être servi dans un panier verseur ; il peut ainsi mieux décanter, en particulier s'il présente des impuretés en suspension. Selon leur âge, les rouges sont servis plutôt chambrés (14° à 18 °C) ou relativement frais, comme on le conseille pour les vins jeunes (5 ans) qui se boivent à 12-14 °C.

Les **vins blancs secs** et les **rosés** seront appréciés frais (à 8 °C), et les blancs **moelleux** encore plus frais (environ 6 °C). Il est préférable d'aller *crescendo* pendant le repas : commencez par le cru le plus jeune et le plus léger pour finir par le plus âgé et le plus corsé.

L'art et la manière

Avant même de porter votre verre aux lèvres, goûtez le vin avec les yeux, et avec le nez. Prenez votre temps et oubliez les complexes ! Si vous voulez mettre des mots sur vos sensations, nous vous indiquons les termes les plus usités.

La vue – La dégustation commence par un examen visuel de la « robe » et du « disque » du vin. La robe, différente selon les crus, désigne la couleur et la limpidité du vin. Le disque est la surface du vin dans le verre : il doit être brillant et ne présenter aucune particule.

L'odorat – Chaque vin a son parfum, à l'odeur évocatrice classée en 10 familles : animale, boisée, épicée, balsamique, chimique, florale, fruitée, végétale, empyreumatique et éthérée.

On commence par inhaler le nectar puis à le faire tourner dans le verre pour mieux libérer les arômes, en essayant de distinguer chaque famille. Avec les années, un vin dégage des odeurs sauvages et épicées.

Le goût – L'examen gustatif débute par une « attaque en bouche » de quelques secondes, où le vin entre brièvement en contact avec la langue. Ensuite, l'« évolution en bouche » permet d'apprécier plus longuement toutes les nuances du vin qui éclatent sur le palais. On avale alors une gorgée pour se délecter de la « fin de bouche ».

113

La cuisine bordelaise

Poissons et fruits de mer

Si vous passez dans le bassin d'Arcachon, impossible d'en repartir sans une bourriche sous le bras, après avoir goûté les **huîtres** dans une cabane traditionnelle de pêcheur.

La cuisine bordelaise accommode les **aloses**, saumons, **lamproies**, anguilles et éperlans que lui apporte la Garonne. La lamproie à la bordelaise est cuite dans son sang, comme un civet, puis agrémentée de vin rouge corsé et de poireaux. Avant d'être servie, l'alose est préalablement marinée dans le vin blanc et l'huile parfumée de laurier.

Mais le « poisson roi » de l'estuaire demeure l'**esturgeon**. C'est vers 1920 qu'un russe apporta en Aquitaine la recette de la confection du **caviar**. En une quinzaine d'années, l'industrie du caviar s'est véritablement organisée et jusque dans les années 1950, la production était de 3 à 5 t par an.

Les viandes

En matière d'élevage, la Gironde n'est pas en reste. L'**agneau de Pauillac** est réputé pour son exceptionnelle tendreté. Élevé en bergerie, il est abattu non sevré à l'âge de 75 jours maximum. Label Rouge lui aussi, le **bœuf de Bazas**, réputé pour sa finesse, est issu d'élevages sélectionnés des meilleures races à viande, en particulier la fameuse bazadaise. Élevé en pâturage, il est nourri de maïs, d'orge ou de blé.

Quelques douceurs

À Bordeaux, on se régale de **canelés**, petits gâteaux caramélisés dont l'intérieur est moelleux. St-Émilion est quant à elle célèbre pour ses délicieux **macarons**. Trempées dans du vin rouge ou du champagne à l'apéritif, ou servies avec le café, ces petites merveilles délicatement croustillantes existent depuis 1620, date de leur invention par les religieuses de la ville. La légende affirme que les **pralines** furent créées à Blaye, en 1649, par le duc César de Choiseul du Plessis-Praslin. Quoi qu'il en soit, vous pourrez déguster ces délicieuses confiseries dans cette ville. Enfin, la **figue de Bourg** est une spécialité sucrée encore peu connue.

Les huîtres du bassin

Les huîtres du bassin d'Arcachon sont connues et appréciées depuis fort longtemps. Les poètes latins Ausone, Sidoine Apollinaire, puis plus tard Rabelais les ont goûtées… et chantées. Aujourd'hui, le bassin d'Arcachon est l'un des grands sites ostréicoles d'Europe (près de 800 ha de concessions). C'est le **premier centre naisseur**, qui fournit la laitance aux bassins bretons, normands, languedociens et hollandais.

Du chenal à la bourriche

Le cycle de développement de l'huître dure environ quatre ans. Il commence, en juillet, par le captage du naissain (larve) sur les collecteurs, traditionnellement des tuiles demi-rondes enduites d'un mélange de chaux et de sable, qui sont disposées dans des cages en bois, ou ruches, placées le long des chenaux. Au printemps suivant a lieu le détroquage, opération consistant à détacher les jeunes huîtres de leur support. Elles sont ensuite placées dans des parcs entourés de grillages à mailles serrées, les protégeant contre les crabes, leurs prédateurs. À dix-huit mois, les huîtres agglutinées sont séparées les unes des autres, c'est le désatroquage. Elles vont alors rejoindre les parcs d'engraissement, dont les eaux riches en plancton assurent leur croissance jusqu'à la troisième année. Pendant cette période, on les tourne et les retourne, ce qui leur donne une forme

régulière. Parvenues à maturité, elles sont triées puis débarrassées de leurs impuretés grâce à un séjour dans des bassins-dégorgeoirs. Un dernier lavage et un conditionnement en caissettes de bois ou bourriches et elles sont fin prêtes pour leur dernier voyage… vers nos assiettes.

L'appel des papilles

Différents crus
Du fait de la diversité des conditions naturelles sur le bassin d'Arcachon, le goût des huîtres varie en fonction de leur zone d'élevage. L'huître du banc d'Arguin présente des notes sucrées et lactées. Celle de l'île aux Oiseaux se caractérise par des arômes végétaux et minéraux. L'huître du Cap-Ferret possède des saveurs de légumes frais et d'agrumes. Quant à celle du Grand Banc, elle évoque les fruits blancs et la noisette grillée.

Un mets de choix
Les huîtres dégustées « à l'arcachonnaise » s'accompagnent de crépinettes bien chaudes (galettes de chair à saucisse) et d'un vin blanc sec. Mais les recettes d'huîtres chaudes développent autrement les arômes de ce mollusque : les beignets d'huîtres se dégustent à l'apéritif, les huîtres en gratin peuvent se manger nature (avec un soupçon de gruyère râpé et de chapelure pour les faire gratiner) ou être à l'occasion de subtiles associations.

Ce n'est que depuis le Second Empire qu'on les savoure crues : dans l'Antiquité, elles étaient cuisinées au miel ou bien conservées dans le sel, alors qu'au Moyen Âge on en faisait des civets ou des pâtés.

L'huître en pratique

Le bassin d'Arcachon abrite une multitude de petits ports ostréicoles. Chaque été (mi-juillet), l'huître y est dignement fêtée. À cette occasion, les ostréiculteurs sortent de leurs cabanes colorées pour parader dans leur costume traditionnel : vareuse bleu marine et pantalon de flanelle rouge ; musique, danses et distractions côtoient les stands de dégustation d'huîtres.

Agenda culturel p. 16.

Coquillages et crustacés

D'autres bivalves et coquillages peuplent les eaux du bassin, tout comme de nombreux crustacés.

À marée basse, il suffit de se baisser pour récolter des trésors. Les coques et les palourdes se pêchent à la main en grattant le sable sur 5 cm (deux petits trous signalent qu'elles sont là). On en trouve beaucoup du côté du banc d'Arguin et sur les crassats, bancs de sable envasés portant une végétation sous-marine. Avant de les consommer, laissez-les dégorger quelques heures dans l'eau salée. Les bigorneaux se ramassent à la main sur les crassats. Les moules sauvages se détachent au couteau près des parcs à huîtres. Les crabes verts, nombreux sur les plages à marée basse, s'attrapent à l'épuisette. Ils se mangent cuits au court-bouillon. Les crevettes se pêchent à l'esquirey ou à l'épuisette. On repère la présence des couteaux par la trace en forme de clé qu'ils laissent sur le sable ; il faut y déposer un ou deux grains de gros sel : croyant la marée revenue, les couteaux remontent. La cueillette des huîtres, même sauvages, est quant à elle interdite.

Avis aux pêcheurs

Si la cueillette des coques et des palourdes est libre, n'en ramassez pas plus de 2 kg par personne et par marée. La taille réglementaire pour les récolter est de 3 cm pour les coques, 4 pour les palourdes. Parfois, elle est interdite en raison de conditions sanitaires particulières. Enfin, attention aux crassats où les risques d'envasement sont constants.

116

Les chemins de St-Jacques

Vieux de plus de dix siècles, le chemin de St-Jacques-de-Compostelle rassemble aujourd'hui encore des jacquets de plus en plus nombreux. Le long de l'ancienne voie romaine qui part de Bordeaux, c'est un pèlerinage toujours chargé d'émotions.

L'apôtre

Jacques vint de Palestine pour évangéliser l'Espagne. Selon la légende, il fut décapité et son corps transporté par deux de ses disciples, échoués sur la côte de Galice. Il aurait alors été enterré à l'emplacement de la ville qui portera son nom. Lors de la reconquête de l'Espagne, Jacques serait apparu au cours d'un combat sur un cheval blanc, terrassant les Maures (d'où son surnom de Matamore). Sanctifié, l'apôtre devint le patron des chrétiens, symbole de la Reconquête dès le 10e s.

Le chemin de la foi

Au Moyen Âge, le tombeau de saint Jacques le Majeur attire en Espagne une foule considérable de pèlerins. La dévotion envers « Monsieur Saint Jacques » est si vivante que **Santiago** (Compostelle) devient un lieu de rassemblement exceptionnel. Depuis le premier pèlerinage français accompli par l'évêque du Puy en 951, des millions de jacquets, jacquots ou jacobits ont pris la route pour aller vénérer les reliques de l'apôtre.

Les églises jacquaires de Bordeaux

Trois maisons de Dieu ponctuent l'étape bordelaise de la *via Turonensis*, le chemin de St-Jacques partant de Paris et passant par Tours, Poitiers, Saintes et Blaye : l'église St-Seurin, la cathédrale St-André et la basilique St-Michel. Les pèlerins quittent la ville par la place de la Victoire, suivant l'ancienne voie romaine.

Les pèlerins du 21e s.

Nombreux sont les marcheurs qui se lancent aujourd'hui sur les **sentiers de St-Jacques**. En dix ans, la fréquentation des chemins a plus que décuplé. Les raisons d'un tel engouement sont diverses. Elles tiennent tout d'abord à la médiatisation dont ont bénéficié ces chemins depuis vingt ans. En 1987, le Conseil de l'Europe les classait « Itinéraire culturel européen » et, en décembre 1988, l'Unesco les inscrivait au **Patrimoine mondial**. Ainsi, les ouvrages, guides ou récits de voyage sur le sujet se sont multipliés. On sait aussi le regain d'intérêt pour la marche. Le plaisir de redécouvrir ce que le progrès et nos empressements quotidiens avaient soustrait à nos regards y est pour beaucoup, le goût retrouvé pour la simplicité et le naturel s'y mêlant. Poussés par la foi, ou le besoin de se ressourcer, les pèlerins du 21e s. acceptent le dénuement et l'effort du chemin.

Les Grands Hommes

Clément V

1264-1314. Archevêque de Bordeaux natif de Gironde, Bertrand de Got devint pape en 1305, sous le nom de Clément V.

Montaigne

1533-1592. Après des études de droit, ce fils de riches négociants devient magistrat au parlement de Bordeaux. En 1570, il résilie ses charges pour se consacrer à l'écriture des *Essais*. Grand philosophe et humaniste, il fut à deux reprises maire de Bordeaux.

Montesquieu

1689-1755. Président au parlement de Bordeaux, Montesquieu aime à se retirer sur sa terre de La Brède, où il parcourt ses vignes et rédigera, pendant dix-sept ans, *De l'esprit des lois*.

Francisco de Goya

1746-1828. C'est à Bordeaux que le célèbre peintre espagnol passa la fin de sa vie en exil. Enterré au cimetière de la Chartreuse, son corps fut ensuite transféré à Madrid.

Odilon Redon

1840-1916. Peintre natif de Bordeaux, il passa une partie de son enfance dans le Médoc, où naîtront ses premiers fusains, inspirés par des promenades à travers champs, vignes et bois. Il y retournera régulièrement après son installation à Paris.

André Lhote

1885-1962. Peintre cubiste, théoricien et critique d'art, André Lhote, qui fit ses études aux Beaux-Arts de Bordeaux, est, aussi l'auteur des peintures murales de la faculté de médecine (1957), inspirées par l'Art nouveau.

François Mauriac

1885-1970. Fin observateur de la bourgeoisie bordelaise, François Mauriac, qui nacquit rue du Pas-St-Georges, rédigea plusieurs de ses œuvres dans son domaine surplombant la vallée de St-Maixant : Malagar.

Jacques Chaban-Delmas

1915-2000. Grand résistant aux côtés de Jean Moulin, Premier ministre et président de l'Assemblée nationale, il fut maire de Bordeaux pendant quarante-huit ans.

Alain Juppé

Né en 1945 à Mont-de-Marsan (Landes), l'ancien Premier ministre de Jacques Chirac et maire de Bordeaux de 1995 à 2004 occupe à nouveau le siège de la Ville depuis 2006.

Noir Désir

Le célèbre groupe de rock, formé en 1980 sur les bancs du lycée St-Genès à Bordeaux.

Les Girondins de Bordeaux

Moins que certaines concurrentes, en particulier la cité phocéenne, Bordeaux est associé, pour le néophyte, au ballon rond. Depuis longtemps pourtant, il l'a dans le sang. En témoignent la ferveur croissante des supporters et les conversations, toujours aussi passionnées, entendues aux zincs bordelais après chaque rencontre.

Un club

Le cœur ici ne vibre que pour une équipe : le **Football Club Girondins de Bordeaux** (FCGB). Fondé en 1919 au sein d'une société omnisports existant depuis 1889, son logo est un **scapulaire** symbolisant la vallée de la Garonne, et ses couleurs, le bleu marine et le blanc : « **Marine et blanc** », tel est le slogan repris en cœur dans les travées de son jardin, le stade **Chaban-Delmas**. Monument Art déco, celui-ci fut inauguré à l'occasion de la Coupe du monde 1938. Certains le surnomment encore de son ancien nom, le parc Lescure. ♿ *p. 70.* Le club, dont l'équipe s'entraîne au château du Haillan (Médoc), possède une chaîne de télévision, une radio et un magazine.

Un palmarès

Six fois **champion de France** (1950, 1984, 1985, 1987, 1999, 2009), neuf fois vice-champion (1952, 1965, 1966, 1969, 1983, 1988, 1990, 2006, 2008), trois fois **vainqueur de la Coupe de France** (1941, 1986, 1987), une fois finaliste de la Coupe d'Europe (1996).

Des légendes

Double champion de France (1984 et 1985), titulaire de l'équipe nationale, **Alain Giresse** demeure, vingt-cinq ans plus tard, le meilleur buteur de l'histoire du club, devant l'« aigle des Açores » Pauleta. À ses côtés, Jean Tigana, Marius Trésor ou encore Patrick Battiston jouèrent sous l'œil d'un président médiatique et emblématique, Claude Bez, dont une recrue mena l'équipe de France à la victoire de la Coupe du monde 1998 : **Aimé Jacquet**. L'équipe de Gernot Rohr, en 1996, révéla autant de talents : aux côtés de **Bixente Lizarazu** et **Christophe Dugarry** figurait un inconnu du nom de… **Zinedine Zidane**. Un homme suscite aujourd'hui la comparaison : avec **Yoann Gourcuff**, l'entraîneur Laurent Blanc a redonné à l'équipe bordelaise son plus haut niveau de jeu, occupant, comme au temps de Giresse, le sommet du classement.
Billetterie – *0892 68 34 33 - www. girondins.fr*

119

Collection sous la responsabilité d'Anne Teffo

Édition	Hélène Payelle
Rédaction	Nicolas Peyroles, Sandrine Salier, Séverine Cachat, Sophie Pothier, Sylvie Kempler, Jean-Moïse Braitberg
Cartographie	Stéphane Anton, Michèle Cana, Évelyne Girard, Patrick Matyja
	Plan détachable réalisé d'après les données TeleAtlas. © TeleAtlas 2009
Conception graphique	Laurent Muller (couverture et maquette intérieure)
Relecture	Stéphanie Hourcade
Régie publicitaire et partenariats	michelin-cartesetguides-btob@fr.michelin.com
	Le contenu des pages de publicité insérées dans ce guide n'engage que la responsabilité des annonceurs.
Remerciements	Didier Broussard, Office du tourisme de Bordeaux
Contacts	Michelin Cartes et Guides
	Le Guide Vert
	46, avenue de Breteuil 75324 Paris Cedex 07
	☏ 01 45 66 12 34 – Fax : 01 45 66 13 75
	cartesetguides.michelin.fr
Votre avis nous intéresse	Rendez-vous sur votreaviscartesetguides.michelin.fr
	Parution 2010

128

Et en complément de notre guide,
    ♿ créez votre voyage sur **Voyage.ViaMichelin.fr**

Manufacture française des pneumatiques Michelin

R.C.L.

MARS 2011

G

Société en commandite par actions au capital de 304 000 000 EUR
Place des Carmes-Déchaux - 63000 Clermont-Ferrand (France)
R.C.S. Clermont-Fd B 855 200 507

Toute reproduction, même partielle et quel qu'en soit le support,
est interdite sans autorisation préalable de l'éditeur.

© Michelin, Propriétaires-éditeurs
Dépôt légal 12-2009 – ISSN 0293-9436
Compograveur : Nord Compo, Villeneuve-d'Ascq
Imprimeur : La Tipografica Varese, Italie
Imprimé en Italie : 12-2009